김변이 알려주는
핀테크의 비밀

김변이 알려주는 핀테크의 비밀

2019년 1월 24일 초판 발행
2021년 3월 2일 3판 발행

지 은 이 | 김도형
발 행 인 | 이희태
발 행 처 | 삼일인포마인
등록번호 | 1995. 6. 26 제3-633호
주   소 | 서울특별시 용산구 한강대로 273 용산빌딩 4층
전   화 | 02)3489-3100
팩   스 | 02)3489-3141
가   격 | 16,000원

ISBN 978-89-5942-939-4 93320

알아야 돈이 보인다

김변이 알려주는
핀테크의 비밀

김도형 지음

SAMIL | 삼일인포마인

제3판 서문

이 책을 처음 출간한지 만 2년이 지났다. 책을 내놓고 약 6개월만에 개정판을 내놓았는데, 개정판 작업에서는 많은 수정이 필요 없었다. 그러다가 2020년 말부터 제3판 작업을 시작하려고 보니 거의 책의 절반 정도를 새로 써야 할 정도로 많은 내용이 바뀌어 있었다. 새로운 것에 관심이 많고 새로 생긴 맛집은 꼭 들러봐야 하는 성격이지만, 핀테크의 변화는 필자에게도 버겁다. 하지만 이와 같이 빠르게 변화하는 핀테크 분야에서 우리나라가 뒤처지지 않도록 우리 법과 제도가 적어도 장애가 되어서는 안 된다는 생각에 이 책을 집필하기 시작한 것이기에 위와 같은 작업은 필자에게 새로운 활력을 주었다. 2020년 말에 불어닥친 은행원들의 대량 감원 소식과 새로운 핀테크 기업들의 성공소식은 필자의 예상과 맞아 떨어졌다. 아마도 2020년 전세계를 강타한 코로나19가 이와 같은 핀테크 시대로의 변화를 보다 가속화할 것으로 예상된다.

앞으로도 꾸준히 새로운 내용으로 업데이트할 것을 다짐하면서, 제3판 작업도 흔쾌히 허락해 주신 삼일인포마인 이희태 대표이사님, 조원오 전무님, 임연혁 차장님, 그리고 편집부 여러분에게 거듭 감사 드린다. 가족들에게도 항상 미안하고 고마울 따름이다.

서문

10년 전 아이폰이 세상에 나오기 전까지만 하더라도 가장 붐비는 번화가의 제일 좋은 건물의 1층은 언제나 은행이 차지하고 있었다. 그리고 많은 사람들은 이곳에서 장시간을 기다려 공과금을 처리하고, 돈을 보내고 현금을 찾는 일들을 마다하지 않았고, 한여름에는 에어컨이 빵빵하게 나오는 가장 시원한 그 곳을 약속장소로 활용하기도 하였다.

그런데 어느 새부터인가 사람들은 은행을 찾기보다는 핸드폰을 이용하여 돈을 이체하기 시작하였고, 주식거래·자산관리 등도 모두 이 요상한 기기를 이용하기 시작하였다. 은행 지점들은 점점 규모를 줄여나갔고, 비싼 임대료를 내는 1층 대신 2층이나 3층으로 이사 가는 경우들도 많아지고 있다.

이 모든 것이 IT 기술이 발달하면서 금융업에 가져온 변화이다. 즉, 금융(Finance)과 기술(Technology)이 융합하면서 사람들의 삶을 급속도로 변화시키고 있으며 이것이 핀테크(Fintech)이다. 이를 넘어서서 알리바바를 창업한 마윈이 만든 신조어라는 테크핀(Techfin), 즉 기술이 금융을 주도하는 시대가 도래하였다는 이야기까지 나오고 있다. 핀테크이든 테크핀이든 기술과 금융은 경쟁하는 관계가 되어서는 안 된다. 이들은 서로의 장점을 살려 보다 시너지를 냄으로써 지금까지 보지 못했던 새로운 가치를 발굴하고 소비자들에게 보다 편리한 서비스를 제공하는데 최선을 다해야 한다. 우리나라를 포함한 전 세계 주요 국가들은 최근 10여년 동안 변화된 모습들을 몸소 체감하면서 이 분야에 대한 무한한 가능성을 보고 경쟁적으로 이 분야에 대한 투자와 연구를 아끼지 않고 있다.

우리나라는 세계 어느 나라에 뒤지지 않는 IT 강국이며, 스마트폰 보급률, 국민 교육수준 등이 최고 수준일 뿐만 아니라, 국민 개개인의 새로운 것에 대한 호기심도 어느 나라보다 높다. 즉 핀테크 융성에 최적화된 나라라고 할 수 있다.

그런데 한 가지 문제는 우리에게 불필요하게 많은 규제가 있다는 것이다. 일단 무엇이든 가능하지만 일정한 기준을 넘어서는 행위들에 대해서만 규제하겠다는 네거티브(Negative) 규제 제도를 도입하고 있는 미국 등에 비하여, 우리나라는 법으로 정한 행위에 대해서만 허용하는 포지티브(Positive) 규제를 적용하고 있기 때문에 많은 기업들이 새로운 서비스를 제공하기 전 반드시 이것이 법에 위배되는 것은 아닌지 우려하고, 신중한 검토를 하지 않을 수 없다. 그런데 문제는 이와 같은 새로운 서비스는 지금까지 어느 누구도 경험해 보지 않은 것이기 때문에 이것을 허용할 것인지에 대해서 누구하나 선뜻 나서서 대답해 줄 사람이 없다.

사실 금융당국이 명확한 입장을 제시해주면 제일 좋겠지만 금융당국 또한 새로운 서비스에 대한 확실한 이해가 없는 상태에서 쉽사리 유권해석을 내놓으려 하지 않으면서 차일피일 시간을 미루게 된다. 기술이 급속도로 발달하고 있는 현대 사회에서 6개월만 투자가 늦어지더라도 치열한 국제사회 경쟁에서 밀릴 수밖에 없다. 법률이 기술발전 속도를 따라가지 못하는 것은 어쩌면 법과 기술 각자가 가진 고유한 속성에 기인한 것이기 때문에 어쩔 수 없는 것일지 모른다. 세계 어느 나라에도 기술보다 앞선 법률이 존재하는 곳은 없다. 하지만 법률이 산업의 발전을 방해하는 지경에 이르러서는 국가의 미래가 없다.

이 책은 필자의 이와 같은 문제의식에서부터 출발하였다. 핀테크 산업의 핵심 키워드는 단연 'P2P 금융', '인터넷전문은행' 등을 들 수 있을 것이다. 그런데 'P2P 금융'은 아직까지 금융당국의 가이드라인만이 존재할 뿐 법률조차 만들어지지 않았다. '인터넷전문은행'도 은산분리와 관련하여 오랜 논의 끝에 최근 '인터넷전문은행에 관한 특례법'이 통과됨으로서 은산분리 규제 완화의 첫 발을 내딛었으나, 아직 기존 시중은행들과 경쟁하기에는 역부족이다. 금융은 사람들의 재산을 다루는 산업이다. 그것이 어떤 사람에게는 단순한 여유자금의 운용일 수도 있겠지만, 누군가는 자신의 목숨과도 같은 전 재산일 수도 있다. 우리는 저축은행 사태나 동양그룹 사태 등을 통해서 서민들이 피땀흘려 모은 재산들이 한 순간에 날아갔을 때 얼마나 심각한 사회문제를 낳는 지를 경험을 통해 배웠다. 이에 정부나 금융당국은 새로운 산업이 또는 악의적이고 사기성이 농후한 사업가가 선량한 국민의 재산을 탕진하지 않을까 노심초사하며, 새로운 사업이나 서비스가 생겨나려고 하면 일단 금지하고 안전성이 확인된 뒤에 진행하라고 조언한다. 하지만 새로운 것을 두려워하고 앞으로 나아가지 않는다면 그로 인한 위험은 회피할 수 있을지 몰라도 발전은 기대하기 어렵다. 전 세계 각국에서 핀테크 산업에 대해 치열하게 연구하고 시험에 시험을 거듭하고 있는데 우리만 그 경쟁에서 뒤처져 있을 수는 없는 것이다.

본문에서는 핀테크와 관련한 각 산업분야별 규제현황에 대해 설명하고자 한다. 제1편에서는 P2P 금융의 태동에서부터 발전, 각종 사건사고, 그 과정에서 제시된 각종 가이드라인 등에 관한 내용 정리 및 P2P 금융의 미래 전망 등에 대해 살펴보았다. 제2편은 '인터넷 전문은행'에 관한 내용으로 은산분리 규제 완화에 관한 내용을 주로 다루었다. 제3편은 핀테크와 관련한 정부의 각종 정책, 규제, 개선안 등을 다루었다.

필자도 앞으로 핀테크의 미래가 어떻게 바뀔지 예측하기 어렵다. 하지만, 은행 지점은 한 달에 고작 한두 번 정도 방문하는데 그치지만, 핸드폰 없이는 단 한 시간도 버틸 수 없는 우리의 생활패턴을 감안하면 앞으로 핀테크 산업이 기존 금융산업을 위협하는 정도에까지 이르지 않을까 조심스럽게 예측해 본다. 만일 기존의 금융산업 관계자들도 필자의 의견에 동의한다면 핀테크 산업을 적으로 간주하고 그들의 성장을 막기 위해 노력할 것이 아니라, 그들의 아이디어와 역량을 최대한 이용하여 서로 win-win하여 시너지 효과를 낼 수 있는 방안을 모색하여야 할 것이다.

이 책을 통해서 강한 규제가 적용되고 있는 금융산업에 변화가 생겨 핀테크 업체들이 자신들의 역량을 보다 크게 펼쳐 국가경쟁력을 높이고 더 편리한 금융소비 환경을 만드는데 일조할 수 있었으면 하는 바람이다.

마지막으로 이 책을 출간할 수 있도록 많은 도움을 주신 삼일인포마인 이희태 대표이사님, 조원오 상무님, 임연혁 과장님, 황은경 대리님, 그리고 편집부 여러분에게 거듭 감사드리며, 항상 일을 핑계로 밤늦게 귀가함에도 불구하고 불평 없이 필자의 활동을 응원하고 도와주는 가족들에게 미안한 마음과 고마움을 전하고 싶다.

차 례

서 문 ·· 5

제1편 | P2P 금융 편

01 P2P 금융 시장의 태동 ··· 18

　　P2P 금융을 말하다 ·· 18
　　P2P 금융의 규모… 기하급수적으로 증가 ····························· 19
　　너무나 쉬웠던 P2P 금융회사 설립 ····································· 20
　　지분형 크라우드펀딩과 대출형 크라우드펀딩의 구별 ·············· 21

02 금융에 관한 법률제정의 필요성 대두 ··································· 29

03 1차 P2P 대출 가이드라인 발표 ··· 38

　　가이드라인 반드시 지켜야 하나 ··· 39

04 P2P 대출회사에 대한 금융감독원 등록 의무화 ······················ 42

05 P2P 대출 가이드라인 연장안 발표 ······································ 45

06 P2P 금융 회사 관련 잇단 악재 ·· 47

　　P2P 금융업체들에 대한 현장점검 ······································· 48

07 2019년 P2P 대출 가이드라인 개정 방안 발표 ························· 57

08 온라인투자연계금융업법 제정 ·· 59

　　법제화 요청 ·· 59
　　온라인대출중개업에 관한 법률안 국회 상정 ························· 60
　　온라인투자연계금융업법의 주요 내용 ································· 61

09 P2P 금융업의 미래 ··· 66

제2편 | 인터넷전문은행

01 인터넷전문은행의 서막 ································· 112

카카오뱅크, 케이뱅크의 출범 ······················· 112
은산분리 제도 ··· 113

02 인터넷전문은행의 본격적인 영업과 성과 ··········· 115

인터넷전문은행의 새로운 서비스 ··················· 115
인터넷전문은행이 가져온 변화 ····················· 117

03 예견되었던 암초에 좌초 위기 ························ 121

운영초기 발생한 문제점 ······························· 121
은산분리 규제 완화의 필요성 ························· 123

04 은산분리 완화에 관한 찬반논의 ····················· 126

05 은산분리 규제 완화에 관한 특례법 통과 ··········· 132

은산분리 규제 완화에 관한 특례법 통과 ··········· 132
인터넷전문은행 특례법의 주요내용 ················· 134
인터넷전문은행에 대한 기대 ························· 138

06 인터넷전문은행과 비대면 실명확인 ················· 141

대면을 통한 본인확인의 허구 ························· 141
비대면 실명확인의 보편화 ···························· 147

07 인터넷전문은행법 통과 이후의 상황 ················ 149

대주주 자격 등에 관한 새로운 논란 ················ 149
특례법 개정으로 문제 해결 ··························· 152

제 **3** 편 │ 핀테크와 규제완화

01 미국에 있는 가족에게 보내는 송금 관련 수수료… 핀테크로 확 줄여
·· 170

    불법에서 합법으로 ··171
    변화에 대응하는 은행들… 해외송금 수수료 확 낮춰 ·············172
    자금세탁 등의 목적에 이용되는 것을 막기 위한 안전장치 시행 ·············173
    전자지급결제대행업자(PG)의 외국환 업무 허용 ···················175

02 4차 산업혁명의 절대강자 … 미국, 중국 ································ 176
    새로운 세상을 준비하는 알리바바 ·············171
    미국은 자타공인 핀테크 최고 강국 ··········178
    우리나라의 4차 산업혁명에 대한 준비는? ························180
    아직 포기하기엔 이르다 ·······················181

03 개인정보 활용과 빅데이터 산업 ·· 183
    핀테크 산업에서 개인정보 활용의 중요성 ······················183
    카드 3사의 신용정보유출사태로 인한 트라우마 ···············185
    한국의 개인정보 또는 신용정보 관련 법규들 ···················189
    법규를 강화하기보다는 개인정보에 대한 인식 전환이 우선 ·················190
    개인정보 비식별조치 가이드라인 시행 ··························193
    마이데이터 산업 도입방안 발표 ·······························196
    금융분야 마이데이터 산업 도입방안 ····························197
    개정 데이터 3법의 주요 내용 ·································199
    앞으로의 전망 ···204

04 핀테크 활성화와 금융 샌드박스 ·· 208
    규제로 인한 핀테크 기업의 어려움 ·····························208
    주요국 규제 샌드박스와 한국의 「금융혁신지원 특별법」 ·················209
    「금융혁신지원 특별법」의 주요 내용 ································211
    혁신금융서비스 지정의 구체적인 사례 ··························213
    앞으로의 과제 ···216

05 핀테크 관련 기타 법규 ·· 218

    간편결제와 「전자서명법」 ···································218

    전자결제수단과 「여신전문금융업법」, 「유사수신행위규제법」 ···············221

06 공유자동차서비스와 여객운송사업법 ···················· 226

    한국에서의 우버(Uber) 실패사례 ·························226

    카카오택시, T맵 택시 ···································230

    '타다' 논란의 중심에 서다 ·······························231

    카카오T 카풀 ···235

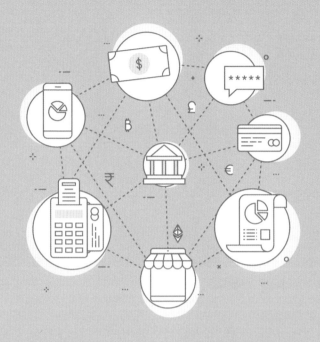

제 **1** 편

P2P 금융 편

01

P2P 금융 시장의
태동

⚙ P2P 금융을 말하다

중소기업에서 월급 300만 원을 받는 평범한 가장인 이정직씨는 갑작스럽게 500만 원의 병원비가 필요하게 되었다. 자신의 사랑스런 딸이 응급실에 실려가 긴급하게 수술을 받게 되었고 이에 급하게 돈을 마련해야 하는데, 신용등급이 좋지 않아 은행권으로부터는 쉽게 대출을 받을 수 없었고, 받는다 하더라도 시간이 오래 걸리는 상황이었다. 이에 이정직씨는 인터넷을 통해 자신의 사연과 함께 열심히 노력하여 3개월 내에 모두 갚겠다고 약속하는 글을 올렸고, 몇 시간 내에 이정직씨에 돈을 빌려주겠다는 50명이 나타나 이정직씨의 딸은 수술을 무사히 받을 수 있었다.

지방에서 빌라를 지어 분양하려는 나부자씨는 은행에 근저당권을 설정하고 돈을 빌려 토지를 매입하였다. 그런데 막상 건물을 지으려고 하니 공사비가 3억 원 가량 부족하였고, 은행은 자신들이 정한 규정에 따라 확실한 추가 담보가 제공되지 않으면 더 이상의 대출은 해줄 수 없다는 입장을 보였다. 나부자씨는 자신의 땅 옆으로 A대기업 연구소가 들어설 예정이어서 빌라만 다 지으면 분양에는 자신이 있었으나 제도권 금융에서는 확실한 담보를 요구하였기 때문에 돈을 빌릴 수가 없었고, 이에 P2P 중개회사의 문을 두드리게 되었다.

위와 같은 가상의 사례들이 P2P 금융이 필요한 아주 일반적인 사례들이다.

⚙ P2P 금융의 규모 ⋯ 기하급수적으로 증가

필자가 처음으로 P2P 금융에 관심을 가지고 연구를 시작한 2015년 상반기만 하더라도 대출 잔액이 약 80억 원 정도에 P2P 중개회사는 10개사 정도에 불과하였다. 그런데 2018년 9월말 기준 누적 대출액은 약 4조 2,700억 원(그 중 한국 P2P금융협회에 가입된 회원사의 누적 대출액만도 2조 6,000억 원 가량), 전체 P2P 금융회사는 205개에 이르렀으며[1], 2020. 7. 31. 기준으로는 한국P2P금융협회에 가입된 회원사의 누적 대출액이 7조 4,000억 원에 이르고 있다. 실로 엄청난 성장 속도라 하지 않을 수 없다. 2% 미만의 저금리 속에 투자대상을 찾지 못한 뭉칫돈들이 강남 재건축 시장을 떠돌며 시세 차익을 노리는 현 상황에서 P2P 중개회사들이 예상 수익률로 제시하

---

[1] 2018. 12. 12.자 금융위원회 보도자료 (P2P 대출 가이드라인 개정 방안 및 법제화 방향 - P2P 대출 시장의 소비자 보호를 강화하고 핀테크 산업으로 건전하게 육성해 나가겠습니다)

는 10~24% 가량의 수익률은 쉽게 눈을 떼기 어렵게 만든다.

◎ 너무나 쉬웠던 P2P 금융회사 설립

P2P 금융이 처음 시작부터 무난했던 것은 아니다. 개인들의 돈을 모아서 대출을 해 준다는 개념 자체가 생소한 것이었고, 특히 이를 인터넷을 통해 불특정 다수인으로부터 돈을 모으는 것이 대부업과는 어떻게 다른지에 대해서도 구별하기 어려웠던 것 같다. 시장에 초기에 진입한 업체들은 이와 같은 생소한 개념을 금융당국 등에게 설명하고 이해시키는데 애를 먹었고, 이에 법적으로 문제가 되지 않는 방안들을 고민하다 보니 '원리금수취권매매형'이나 '담보제공위탁계약형' 등의 변형된 형태의 계약관계가 생겨나게 되었다.

P2P 금융의 초기 기업 중 하나인 '8퍼센트'는 2015. 2. 금융당국에 의해 불법 사이트로 분류되면서 영업정지를 당했다. 영업정지 사건이 터지자마자 IT 기술을 기반으로 한 금융업을 이해하지 못하고 시장을 소멸시키려 한다는 시장의 비판이 이어지자 이와 같은 영업정지는 바로 해제되었다. 과거 주로 이용되었던 '원리금수취권매매형' 계약구조를 진행하기 위해서는 플랫폼과는 별도의 대부업체가 설립되어야 하며 대부업체는 대부업법상의 등록절차를 거쳐야 하는데 '8퍼센트'는 이와 같은 행정절차를 이행하지 않았음을 지적한 것인바, 금융당국 입장에서는 다소 억울할 수도 있다. 어쨌든 아이러니하게도 이 사건을 계기로 P2P 금융업체에 대한 국민들의 관심이 쏟아졌고 이는 P2P 금융업이 폭발적으로 성장하는 계기가 되었다.

이처럼 P2P 금융이 핀테크의 첨병으로 이미지화하면서 P2P 금융 회사들이 우후죽순처럼 생겨났음에도, 2017. 8. 29. 대부업법 시행령이 개정되기 전까지 P2P 금융회사들이 시장에 진입하는 데에는 사실상 거의 제약이 없었다고 보아도 무방하다. 온라인상의 P2P 중개 플랫폼 회사 외에 별도의 대부업체를 하나 만들어 시·도지사에게 등록을 한 뒤, 한국대부금융협회에서 10만 원의 교육비를 내고 8시간 교육을 받고 나면 P2P 중개회사를 운영할 수 있었다.

◎ 지분형 크라우드펀딩과 대출형 크라우드펀딩의 구별

P2P 금융에 대해 본격적으로 검토하기에 앞서 와디즈, 오픈트레이드 등이 대표적인 회사라고 할 수 있는 지분형 크라우드펀딩과 여기서 논의할 대출형 크라우드펀딩(P2P 금융)은 구별되는 개념인바, 이에 대해 간략히 설명하고자 한다.

당초 크라우드펀딩(Crowdfunding)은 인터넷 기반의 홈페이지 플랫폼을 통해 자신의 특정 프로젝트, 사업, 대출요청 등의 다양한 목적을 알리고 이와 같은 요청에 동의하는 다수의 사람들로부터 소액 자금을 조달하는 행위를 총칭하는 용어로 사용되었다. 이들 목적사업과 관련하여 기부형, 보상형, 지분투자형, 대출형 등으로 구분이 지어졌으며, 이들 중 대출형이 가장 활성화되어 현재의 P2P 대출시장을 형성하고 있다. 나머지 기부형, 보상형, 지분투자형 크라우드펀딩과 관련해서는 2015. 7. 24. 「자본시장과 금융투자업에 관한 법률('자본시장법')」 개정시 '온라인소액투자중개업자 등에 대한 특례'

규정들을 삽입함으로써 법제화 작업을 마쳤다. 자본시장법상 온라인소액투자중개의 대부분 투자형태가 지분투자형이므로 편의상 지분투자형 크라우드펀딩이라고 부르기로 한다.

2015년 자본시장법 개정을 통해 도입된 지분형 크라우드펀딩의 규율내용은 다음과 같다.

가. 온라인소액투자중개업자의 정의를 추가하고 온라인소액투자중개를 이용할 수 있는 자의 범위와 온라인소액투자중개의 방식을 대통령령으로 정하도록 함(법 제9조 제27항).

나. 등록하지 않은 자의 온라인소액투자중개를 금지하고, 온라인소액투자중개업자가 되고자 하는 자는 금융위원회에 등록하도록 함(법 제117조의3, 제117조의4).

다. 온라인소액투자중개업자가 다른 금융투자업을 영위하지 않는 경우에는 상호에 "금융투자"라는 단어를 사용할 수 없도록 하고, 온라인소액투자중개업자가 아닌 자는 "온라인소액투자중개" 또는 이와 유사한 명칭을 사용할 수 없도록 함(법 제117조의5).

라. 온라인소액투자중개업자의 대주주가 변경된 경우에는 이를 2주 이내에 금융위원회에 보고토록 함(법 제117조의6).

마. 온라인소액투자중개업자의 건전한 영업을 도모하고, 투자자를 보호하기 위해 영업행위 규제를 신설함(법 제117조의7).

1) 온라인소액투자중개업자가 자신이 중개하는 증권을 자기의 계산으로 취득하거나, 증권의 발행 또는 그 청약을 주선·대리하는 행위를 금지하고, 투자 또는 경영에 관한 자문에 응하는 것을 금지함.

2) 투자자가 청약의 내용과 그에 따르는 위험성을 충분히 확인하기 전에는 온라인소액투자중개업자가 해당 증권에 대한 투자자의 청약의 의사를 받을 수 없도록 함.

3) 온라인소액투자중개업자에게 임의청약 금지, 부당한 차별대우 금지, 청약기간 만료시 결과 통지 의무 등을 부과함.

4) 온라인소액투자중개업자에 대해 제한된 범위의 투자광고와 발행인이 제공한 정보의 공시 또는 전송 등을 제외하고는 증권의 청약을 권유하는 일체의 행위를 금지함.

바. 온라인소액투자중개업자가 투자자의 재산을 보관, 예탁받는 것을 금지하고, 투자자의 청약증거금은 온라인소액투자중개업자를 거치지 않고 은행, 증권금융회사 등의 기관에 예치 또는 신탁 되도록 하며, 그 밖에 청약증거금의 관리에 필요한 사항을 정함(법 제117조의8).

사. 온라인소액투자중개업자 또는 온라인소액투자중개의 방법으로 증권을 발행하는 발행인이 아닌 자는 온라인소액투자중개에 대한 광고를 할 수 없도록 하고, 온라인소액투자중개업자 또는 증권의 발행인에게 온라인소액투자중개업자가 개설한 인터넷 홈페이지를

통한 투자광고만을 허용함(법 제117조의9).

아. 온라인소액투자중개를 통해 증권을 모집하는 경우에 대한 특례를
정함(법 제117조의10).

1) 온라인소액투자중개의 방법으로 대통령령으로 정하는 금액 이하
의 증권을 모집하는 경우에는 증권신고서 제출 등의 공시규제를
적용하지 아니하되, 대통령령으로 정하는 바에 따라 투자자 보호
를 위하여 필요한 조치를 하도록 함.

2) 온라인소액투자중개의 방법으로 증권을 모집할 경우 청약금액이
모집예정금액의 일정비율 이하인 경우 그 발행을 취소하도록 함.

3) 청약기간 중 온라인소액투자중개업자를 통한 증권의 발행인과
투자자간의 의사소통을 허용하되, 이 과정에서 투자자의 투자판
단에 영향을 미칠 수 있는 중요 정보가 제공된 경우 이를 즉시
반영하여 게재 내용을 정정하고 온라인소액투자중개업자가 관
리하는 인터넷 홈페이지를 통해 정정 게재하여야 함.

4) 발행인과 대주주는 온라인소액투자 중개방식으로 증권을 발행한
후 1년 이상 대통령령으로 정하는 기간 동안은 보유한 지분을 누
구에게도 매도할 수 없도록 함.

5) 투자자가 대통령령으로 정하는 투자한도를 초과하여 투자할 수
없도록 하고, 온라인소액투자중개를 통해 발행된 증권은 의무적
으로 예탁 또는 보호예수하도록 하며, 예탁일 또는 보호예수일로
부터 1년간은 예외적인 경우를 제외하고 증권의 매도 또는 인출
을 금지함. *2017. 10. 17. 개정으로 보호예수기간을 6개월로 단축

6) 증권의 청약기간의 말일까지 투자자가 증권의 청약을 철회할 수
있도록 함.

자. 온라인소액투자중개업자는 금융위원회가 정하여 고시하는 바에
따라 발행인의 재무상황 등에 관한 사실관계를 확인하도록 함(법

제117조의11).

차. 발행인의 허위·부실 공시로 증권의 취득자가 손해를 입은 경우 증권의 발행인이 이를 배상하도록 함(법 제117조의12).

카. 온라인소액투자중개업자가 증권의 발행한도 및 투자한도의 관리 업무, 투자자명부의 작성과 관리업무 등을 대통령령으로 정하는 중앙기록관리기관 및 한국예탁결제원에 위탁하도록 함(법 제117조의13, 제117조의14).

타. 포털사이트의 카페·블로그 등 온라인소액투자중개업자가 자신의 인터넷홈페이지의 주소를 소개하거나 해당 홈페이지에 접속할 수 있는 장치를 제공할 수 있는 게시판을 운영하는 정보통신서비스 제공자를 '전자게시판서비스 제공자'로 정의하고, 이들 '전자게시판서비스 제공자'에게 해당 게시판을 통해 위법한 투자광고가 일어나지 않도록 관리할 의무를 부여함(법 제117조의15).

지분형 크라우드펀딩은 유망한 스타트업 회사들의 초기 자금 모집 창구로 중요한 역할을 하고 있으며, 이와 같은 초기 투자에 벤처캐피털 등 기관이 아닌 일반 투자자들이 참여할 수 있다는 점에서 투자자와 기업가 모두가 윈-윈(Win-Win)할 수 있는 훌륭한 제도라고 할 수 있다. 하지만, 지분형 크라우드펀딩이 투자하는 회사 거의 대부분은 상장되지 않은 초기 기업인 바 투자자금을 단기간에 회수하는 것을 기대하기는 어렵다. 게다가 크라우드펀딩을 통하여 제공받은 각자의 지분율이 너무나 제한적이기 때문에 투자자들은 FI(Financial Investor, 재무적 투자자)로 밖에 참여할 수 없고 따라서 대주주인 경영진의 운영능력을 믿고 맡기는 수밖에 없어 능동적으로 회사의 운영에 참여할 수 없는 한계도 있다.

이러한 문제점을 의식한 정부에서는 KSM을 통한 크라우드펀딩 증권 매매를 2016년 말부터 허용하고 있다. KSM는 한국거래소가 2016. 12.에 만든 비상장 스타트업 주식을 거래하는 시장으로 '크라우드펀딩(혹은 창조경제혁신센터 추천 스타트업) → KSM → 코넥스 → 코스닥'으로 이어지는 중소규모 회사 상장과정에서 주식의 유통이 처음 이루어지는 곳이다. 현행 자본시장법에 따르면 크라우드펀딩을 통해 회사의 주식을 매수한 자는 6개월간 이를 매도할 수 없게 되어 있으나 KSM에 등록한 회사의 주식은 크라우드펀딩을 통해 매입한 자의 것이라고 하더라도 위 6개월의 매도제한을 풀어줌으로써 거래 활성화를 꾀하고 있다.

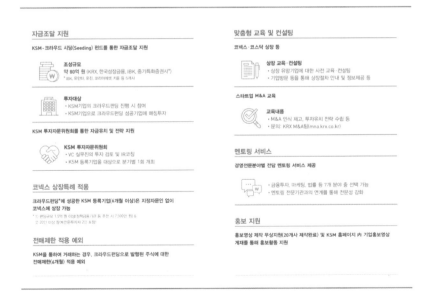

[출처 : KRX Startup market 홈페이지(https://ksm.krx.co.kr/contents/01/010100/view)]

다만 아래에서 보는 바와 같이 2019. 9. 8.부터 2020. 9. 8.까지 약 1년간 KSM에서 거래된 주식 거래대금이 약 8억 원에 불과하여 사실상 거래가 활성화되었다고 보기는 어렵다.

하지만, 사실상 벤처캐피털(Venture Capital)이나 고액 자산을 가진 엔젤투자자의 전유물이라고 생각했던 스타트업 기업에 대한 투자기회를 소액 투자로 가능해졌다는 점에서 지분형 크라우드펀딩 또한 큰 의미가 있다 할 것이며, 이를 통해 알짜 기업들에 투자하여 향후 높은 수익률을 기대할 수 있는 기회 또한 얻을 수 있을 것이다.

전종목체결현황

| 조회기간 | 20190908 | ~ | 20200908 | 1일 | 1개월 | 6개월 | 1년 |

Q 조회

단위 : 주, 원

종목명	거래량	거래대금	평균체결가
스마트골프	721,591	638,919,034	885
뉴21커뮤니티	15,000	110,019,000	7,335
글로벌코딩연구소	2,000	10,000,000	5,000
에이오지히팅시스템	150	9,300,000	62,000
미스터맨션1우(전환상환)	640	8,000,000	12,500
굳센컴퍼니	700	5,600,000	8,000
셈스게임즈	49	4,900,000	100,000
퀀텀바이오	300	3,550,000	11,833
핀텔	390	3,345,000	8,577
푸드앤테이블	50	2,000,000	40,000

[출처 : KRX Startup market 홈페이지(https://ksm.krx.co.kr/contents/03/030100/view)]

지분형 크라우드펀딩 시장이 보다 활성화되기 위해서는 펀드를 모집하는 플랫폼 업체들의 노력이 필요하다. 지금과 같이 단순히 초기자금을 모으는 역할에서 끝낼 것이 아니라 이들 기업들이 자금 모집 이후에도 사업을 꾸준히 키워나갈 수 있도록 아낌없는 컨설팅 지원을 계속하고, 이들 기업들의 재무현황이나 영업현황을 주주들에게 계속하여 제공함으로써 투자자들의 신뢰를 얻는 것이 매우 중요하다. 아직까지는 좀 더 시장이 성숙되기를 기다려야겠지만 몇 년 후 기업가치가 폭발적으로 성장한 스타 기업이 배출된다면 이 시장 또한 폭발적으로 성장할 수도 있을 것으로 기대한다.

이와 같은 지분형 크라우드펀딩과는 달리 대출형 크라우드펀딩은 대출자에게 일정 기간 돈을 빌려주고 약속한 이자를 지급받는 것이기 때문에 대출자가 돈을 갚지 않는 경우를 제외하고는 투자금 회수에 대한 불확실성은 훨씬 적기 때문에 대출형 크라우드펀딩의 시장 규모가 지분형 크라우드펀딩 시장보다 훨씬 더 커졌다.

02

금융에 관한 법률제정의
필요성 대두

시장이 폭발적으로 성장하기 시작하면서 이로 인한 부작용을 우려한 금융당국은 2016. 7. 25. 'P2P 대출 가이드라인 제정을 위한 T/F팀'을 구성하고 가이드라인을 만들기 시작하였다. 위와 같은 가이드라인 작성을 위한 활동내역은 아래와 같다.

- ('16. 7. 1.) 제5차 금융개혁 추진위원회에서 'P2P 대출 규율방안' 논의
- ('16. 7. 22. ~ '16. 10. 27.) P2P 대출 T/F(팀장 : 금융위 사무처장) 운영
- ('16. 11. 3.) 「P2P 대출 가이드라인」 제정방안 발표
- ('17. 1. 23. ~ '17. 2. 13.) 금융감독원, 가이드라인 행정지도 예고(20일간)
- ('17. 2. 23.) 가이드라인 시행을 위한 P2P 업체 간담회

이와 비슷한 시기 국회 공청회도 많이 열렸는데 2016. 11. 16.에는

민병두 국회의원의 주최 하에 "P2P 대출 법제화를 위한 입법공청회"가 열리기도 하였다. 당시 발표자로는 성균관대학교 법학전문대학원의 고동원 교수님께서 발표를 맡아주셨고, 인하대 성희활 교수님, P2P금융협회 이승행 회장님, 8퍼센트 이효진 대표님, 금융위원회 하주식 과장님, 필자 등이 토론자로 참석하였다. 이 때 논의된 내용들은 현행 「온라인투자연계금융업 및 이용자 보호에 관한 법률」 제정의 토대가 되었을 뿐만 아니라 현재도 여전히 고민해봐야 할 쟁점들이 있기에 위 입법공청회에 토론자로 참석한 필자의 의견을 아래와 같이 원문 그대로 싣고자 한다.

토론문 - P2P 대출 거래의 법제화를 위한 입법 방향

고동원 교수님의 심도 있는 연구결과를 통해 많은 것을 배웠습니다. 다시 한 번 연구에 대한 열정과 노고에 감사드립니다.

저는 몇몇 P2P 대출 회사를 자문하면서 항상 회사 대표들과 이 비즈니스 모델이 제대로 정착하기도 전에 누군가가 투자자들로부터 모은 돈을 횡령하고 잠적하는 문제가 발생하면 어떻게 할까 노심초사하였습니다.

그리고 크라우드펀딩 또는 P2P 대출 등의 이름을 내세우면서 원금 보장, 고수익 보장 등으로 거액의 투자금을 끌어들인 이솝투자자문, 밸류인베스트코리아 등의 사건으로 인하여 P2P 대출 시장 또한 같이 도매금으로 넘어가는 것은 아닌가 하는 우려도 하였습니다. 하지만, 밸류인베스트코리아 등의 사태에도 불구하고 P2P 대출 시장은 계속하여 성장하고 있는 것을 바라보면서 국민들이 위와 같은 유사수신업체와 P2P 대출 중개업체와의 차별성을 확실히 인지하고 있음을 실감하고 있으며, 이는 모두 P2P 대출 중개업체들의 피나는 노력과 열정의 산물이라고 생각하고 있습니다. 이하에서는 고동원 교수님의 발표 내용 중 몇 가지 제 개인적인 의견을 피력하고자 합니다.

1. 유사수신행위규제법이 배제된다는 별도의 입법은 불필요하다고 생각됨

고동원 교수님의 발표문 제16쪽에서는 P2P 대출 중개업이 유사수신행위규제법상의 유사수신행위에 해당하지 않음을 분명히 하는 입법이 필요하다는 입장을 보이셨습니다. 제 생각에는 유사수신행위규제법 제2조에서 '유사수신행위'를 정의하면서 '다른 법령에 따른 인가·허가를 받지 아니하거나 등록·신고 등을 하지 아니하고 불특정 다수인으로부터 자금을 조달하는 것을 업으로 하는 행위로서 다음 각 호의 어느 하나에 해당하는 행위'로 정의하고 그 행위 유형을 4가지로 정의하고 있습니다.

그 대표적인 행위 유형으로 '장래에 출자금의 전액 또는 이를 초과하는 금액을 지급할 것을 약정하고 출자금을 받는 행위', '장래에 원금의 전액 또는 이를 초과하는 금액을 지급할 것을 약정하고 예금·적금·부금·예탁금 등의 명목으로 금전을 받는 행위' 등을 들고 있습니다. 이 규정의 해석상 '원금보장' 또는 '고수익 보장' 등의 행위 없이 자금을 조달한다면 이는 '유사수신행위'에 해당한다고 보기는 어렵다고 생각되며, 특히 이번 논의에서 자본시장법 또는 별도의 법을 통해 P2P 대출 중개업에 대한 규제를 하는 것을 전제하고 있다면 이는 유사수신행위법상 '다른 법령에 따른 인가·허가를 받지 아니하거나 등록·신고 등을 하지 아니하는 경우'에 해당하는 것으로 볼 수 있으므로 유사수신행위규제법에 해당하지 않음을 별도로 정할 필요성은 없지 않은가 하는 것이 제 개인적인 생각입니다.

2. 신용정보법의 적용을 받는 경우의 문제점

고동원 교수님의 발표문 제19쪽에서는 "대출 중개업자는 차입자로부터 개인신용정보를 제공받아서 대출 중개라는 영업에 이용하는 자이므로 '신용정보제공이용자'에 해당하므로 신용정보법이 적용된다"는 입장을 보이셨습니다. 제가 파악하기로는 대출 중개업자는 차입자로부터도 개인신용정보를 받지만 필요에 따라서는 신용평가기관으로부터도 차입자의 신용정보를 받는 것으로 알고 있습니다. 따라서 대출 중개업자에 대해 신용정보법이 적용된다는 점에 대해서는 100% 동감합니다.

그런데, 문제는 대출 중개업자가 신용정보법에서 정한 신용정보 보호의무를 이행할 능력이 되느냐는 것입니다. 2014년 카드사 정보유출 사태는 카드사에 FDS(Fraud detection system)이라는 정보보호 프로그램을 업그레이드하기 위해 신용정보 관리회사 직원이 카드사에 파견되었는데 그 관리회사 직원이 개인들의 신용정보를 유출하면서 문제가 된 사건입니다. 이 용역계약을 위해 카드사들은 각 2억 원이 넘는 큰 돈을 들였고, 이에 대한 추가적인 보완을 위해서도 많은 돈이 듭니다. 위와 같은 막대한 비용을 들이고도 어이없게도 내부자에 의해 정보가 빠져나간 것입니다.

이처럼 신용정보 보호를 위해서는 적지 않는 비용이 발생하는데 제가 알기로는 아직까지 지극히 영세한 대부분의 대출 중개업자들은 이와 같은 의무에 대해 알지도 못할 뿐만 아니라 안다고 하더라도 이와 같은 투자에 대한 엄두를 내지 못하는 것으로 알고 있습니다. 우선 각 회사 내부 서버에 개인 신용정보를 모두 보관하기보다는 보안시스템을 구축해 놓은 외부 클라우드에 신용정보를 보관하도록 유도함으로써 신용정보가 쉽게 유출되는 것을 막아야 하고, 장기적으로는 대출 중개업자들의 보안시스템을 어떻게 강화할 것인가에 대한 정부 또는 기타 기관의 지원이나 대책 등이 필요할 것으로 판단됩니다.

3. 대부업법 적용 배제의 필요성에 대해서는 동감

교수님께서는 제22쪽에서 대출 중개업자와 대부업법상의 대부 중개업자의 차이를 인정하고 대부업법 적용 배제 조항을 신설하는 것이 필요하다고 발표하셨습니다. 저 또한 현재 P2P 대출과 관련하여 대부업법을 적용하도록 하는 것은 문제라는 데에 전적으로 동감합니다.

P2P 대출업체에 대해 대부업법을 적용함으로써 P2P 대출로 인해 발생하는 수익에 대해 일반 이자소득세 15.4%보다 훨씬 높은 대부업법상의 소득세율 27.5%를 부과하고 있으며 이와 같은 고율의 세금은 결국 투자자에게 전가되고 있습니다. 게다가 대부업법에 따르면 대부업자 및 대부중개업자는 그 상호 중에 '대부' 및 '대부중개'라는 문자를 사용하여야 하는데, 대부업에 대한 이미지가 좋지 않은 관계로 P2P 대출업체들은 거의 대부분 자회사로 대부업체를 두고 자신들은 통신판매업자, 전자상거래업자 등으로 면허를 받아 영업하고 있습니다. P2P 대출의 직접 대출자가 대부업자인 현 상황에서 이를 원리금수취권 등을 매개로 중개하는 P2P 대출업체가 대부 중개업자가 아닌 것인지에 대해서는 의문이라 할 것입니다.

현재와 같이 P2P 대출에 대해 대부업이 적용되게 된 것은 2006년경 P2P 대출업체들이 처음 생겨날 당시 그 업태에 대한 정확한 인식이나 분석이 이루어지지 않은 상태에서 별도의 대부회사를 통해 대출을 나가게 할 것을 유도함에서 비롯된 것으로 알고 있습니다. 교수님께서 제46쪽에서 지적하시는 바와 같이 P2P 대출업체에 대한 믿음만 있다면 직접대출형 거래를 불허할 이유가 전혀 없습니다. 과거 P2P 대출업체에 대한 인식 부족과 불신이 현재의 이상한 형태의 P2P 시장이 생겨난 원인이라 할 것입니다.

P2P 대출은 국민들이 조금씩 투자자금을 모아 대출 틈새시장에 투자하는 투자상품임을 감안할 때, 이를 대부업으로 묶어 고율의 세금을 부과하는 것은 바람직하지 아니하므로 대부업법을 통한 규제는 하루빨리 수정하는 것이 바람직하다고 생각됩니다.

4. 차입자 보호 조항 중 일부 내용에 대한 의문점

교수님께서는 차입자 보호 조항을 두어야 한다고 지적하시면서, ① 대출 중개업자의 차입자에 대한 대출 계약 주요 내용 설명 의무를 신설, ② 대출 중개업자의 차입자에 대한 연체 사실 통지 의무, ③ 연체 차입자의 채무 조정 상담 의무화 등을 차입자 보호 조항의 예로 들었습니다.

이 중 두 번째와 세 번째 내용에 대해서는 동감하지만 첫 번째 내용에 대해서는 다소 의문이 있습니다. 교수님께서는 '차입자가 채무불이행을 했을 때 차입자의 신용도가 떨어질 수 있다는 점과 다른 금융기관에 연체 사실을 통지할 수 있다는 내용, 담보부 차입의 경우 담보 목적물이 경매 등을 통하여 처분될 수 있다는 사실'을 고지할 필요가 있다고 하셨는데, 현재 P2P 대출업체들은 다른 금융기관들과는 달리 정보공유를 하지 않는 것으로 알고 있습니다.

우리나라의 경우 금융결제원이라는 기관을 통해 금융기관의 정보가 공유되고 있으며, 이에 따라 다른 금융기관의 연체사실에 대해서도 쉽게 파악할 수 있는데, P2P 대출업체는 앞서 말씀하신 바와 같이 금융기관으로 분류되고 있지 않기 때문에 금융결제원에서 정보를 취합하지 않는 것으로 알고 있습니다.

이와 같이 다른 금융기관, 심지어 P2P 대출업체 간에도 정보공유가 이루어지지 않는 점을 악용하여 한 곳에서 대출을 받은 차입자가 다른 곳에서 동일한 용도로 다시 대출받는 등의 문제도 발생하고 있다고 들었으며, 이를 막기 위해 P2P 금융협회에서는 블랙리스트를 정리하여 이를 공유하고자 하는 노력을 기울이고 있는 것으로 알고 있습니다. 따라서 교수님이 말씀하신 부분에 대한 입법이 이루어지기 전에 위와 같은 현실적인 문제들이 먼저 해결되어야 하지 않을까라고 개인적으로 생각합니다. 또한 이와 같은 문제들은 차입자 보호의 문제라기보다는 투자자 보호의 문제가 아닌가 하는 생각도 듭니다.

5. 차입자의 신용평가 등급 제시의 문제

P2P 대출업체들에 대해 의견을 제시하면서 가장 어려운 부분이 이 부분인 것 같습니다. 교수님께서는 투자자 보호를 위해 대출 중개업자가 자체 평가한 차입자의 신용평가 등급을 제시할 필요가 있다는 입장을 제시하셨습니다. 현재도 대출 중개업자 대부분이 자신들이 자체 평가한 차입자의 신용평가 등급을 제시하고 있는 것으로 알고 있습니다.

그런데 문제는 이러한 차입자의 신용평가 등급이 일정한 기준에 의하여 작성된 것이 아니라 자신들이 자체적으로 만든 등급에 기초하고 있다는 점에 있습니다. 현행 신용평가기관에 따른 평가방법에 있어 개인신용등급은 1등급에서 10등급까지 분류하고 있고, 기업신용등급은 회사에 따라 다소의 차이는 있지만 대체적으로 AAA부터 D등급까지로 분류하고 있습니다.

현재 P2P 대출업체 대부분은 기업신용등급 방식과 유사한 AAA에서 D까지 사이에서의 등급을 차입자에게 부여하고 이를 투자자들에게 공표하고 있습니다. 그런데, P2P 대출업체들 중 많은 회사들이 A등급 이상의 신용등급을 차입자에게 부여하고 있는데 문제가 있습니다. 물론 차입자의 신용등급을 되도록 높게 부여하는 것이 치열한 경쟁에서 보다 많은 투자자들로부터 자금을 투자받는 쉬운 길일 것입니다.

하지만, 이와 같은 신용등급을 보는 투자자들은 자칫 기업신용등급에서 말하는 A등급과 혼동할 여지가 많습니다. 신용평가기관으로부터 A등급 이상을 받는 기업의 경우에는 상당히 우량한 회사로 그 회사에 대한 투자 또는 회사채 매입에 있어 크게 리스크가 높지 않습니다. 이에 반하여 P2P 중개업체를 통해 약 10~25%의 고액의 이자를 부담하고자 하는 차입자는 이들에 비해서는 신용도가 많이 떨어지는 것이 현실입니다. 이들이 담보를 제공한다고 하더라도 이미 기존 금융기관으로부터 선순위 담보가 설정된 경우가 대부분이기 때문에 담보력도 많이 약합니다.

따라서, P2P 대출업체 자체적으로 차입자의 신용평가 등급을 제시할 것이 아니라, P2P 금융협회에서 합의한 가이드라인에 따른 신용평가등급 또는 별도의 신용평가기관을 통한 신용평가등급을 제시하도록 함으로써 투자자 보호에 보다 신경을 쓸 필요가 있다 할 것입니다.

6. 투자한도 제한 기준에 대해서는 재검토가 필요함

금융위원회 가이드라인에서는 동일 차입자에 대해 5백만 원, 연간 총 누적금액을 1천만 원으로 제한하였습니다. 저는 1인당 투자 상한이 없다면 극단적으로는 자본시장법상 전문투자형 사모집합투자기구처럼 운용하는 것도 가능할 수 있는데, 엄격한 요건을 갖추어 등록하고 운용규제까지 받은 전문투자형 사모집합투자기구와의 형평에 맞지 않으므로 투자자 1인당 투자 상한을 두는 것은 필요하다는 입장이었습니다.

그럼에도 불구하고 이번에 발표된 금융위원회 가이드라인은 너무나 엄격하여 자칫 활성화되기 시작한 P2P 대출시장을 사장시킬 수도 있다는 생각이 듭니다. 현재 P2P 대출시장이 3,000억 원대라고는 하지만, 초기 경쟁에서 살아남기 위하여 P2P 대출 중개업체들이 취하는 수수료는 대출액 기준 4% 미만인 것으로 알고 있으며, 신생 업체들은 수수료 무료의 이벤트도 많이 하는 것으로 알고 있습니다.

결국 현재 대출시장 규모와 수수료 수준에서 한 업체당 1년에 10억 원 매출도 일으키기 어려운 것이 현실이고, 이와 같은 매출액 규모 회사에 대해 앞서 말한 신용정보법상의 보안시스템을 구축하도록 하고 금융감독원 등 감독기관에 대한 정기보고 및 감독을 받도록 한다면 몇 개 업체 외에는 아마 사업을 모두 접어야 할지도 모릅니다. 투자 한도의 제한이 없는 현 상황에서도 이러하다는 점을 감안하시어 1인당 투자한도는 현재의 가이드라인보다는 많이 확대될 필요가 있다는 생각입니다. 일부 회사는 신용대출과 담보대출을 분리하여 규제하여야 한다는 입장을 보이기도 하였습니다.

03
1차 P2P 대출
가이드라인 발표

    앞선 'P2P 대출 가이드라인 제정을 위한 T/F팀'에 의해 2017. 2. 1차 P2P 대출 가이드라인이 발표되었고, 이는 2017. 5. 29.부터 시행되었다. 위 P2P 대출 가이드라인은 투자자 보호를 위하여 P2P 업체 및 연계 금융회사 등이 준수해야 할 사항들을 정하고 있으며, 그 주요 내용은 아래와 같다.

P2P 대출 가이드라인 시행(2017. 5. 29.부터 시행)

· **(투자한도)**
  일반 개인투자자 : 연간 누적금액 1천만 원(동일차입자 5백만 원)
  소득적격 개인투자자 : 연간 누적금액 4천만 원(동일차입자 2천만 원)
· **(투자금의 별도 관리)**
  투자자로부터 받은 투자금을 P2P 업체 등의 자산과 분리·관리
· **(영업행위 준수사항)**
  P2P 업체, 연계 금융회사 등이 P2P 대출에 투자자 또는 차입자로서 참여
  제한
  예) 본인 건물의 건축자금을 모집하기 위하여 직접 P2P 업체를 설립
· **(투자광고)** "원금보장", "확정수익" 등의 광고 금지
· **(정보공시)** 투자판단에 영향을 주는 다양한 정보를 홈페이지에 게재
  *투자위험, 차입자 정보(대출목적, 사업내용, 신용도, 재무현황, 상환계획,
  담보가치 등), 예상수익, 계약해제·해지, 조기 상환조건 등

⚙ 가이드라인 반드시 지켜야 하나

위 가이드라인이 발표되자 P2P 대출업체들로부터 위 가이드라인
을 반드시 지켜야 하는지에 대한 질문들이 이어졌다. 이에 대해 답
하기 위해서는 일단 위 가이드라인의 성격이 무엇인지를 파악해야
한다. 위 가이드라인의 성격은 행정절차법상 '행정기관이 그 소관사
무의 범위 안에서 일정한 행정목적을 실현하기 위하여 특정인에게
일정한 행위를 하거나 하지 아니하도록 지도·권고·조언 등을 하
는 행정작용'으로 정의되는 행정지도에 해당한다(행정절차법 제2조
제3호). 다시 말해서 행정지도란 국민의 임의적인 협력을 전제로 하
는 비권력적인 작용으로 행정지도에 따르지 않는다고 하여 강제수

단을 도입할 수 있는 것은 아니다. 이와 관련하여 행정절차법 제48조에서도 '행정기관은 행정지도의 상대방의 의사에 반하여 부당하게 강요하여서는 안 된다'라고 규정하고 있다. 이와 같은 특성으로 인하여 만일 행정지도를 따르지 않았다는 이유로 행정기관이 불이익 처분을 내릴 경우 이와 같은 불이익 처분은 행정처분으로 볼 여지가 있으므로 이에 대해 행정소송을 제기함으로써 간접적으로 행정지도를 다툴 수 있다. 다만, 제재 또한 권고·협조요청 내지 지도행위에 준하는 경우라면 이는 국민의 구체적 권리의무에 직접적 변동을 초래하는 행위라고 보기 어려우므로 처분성을 인정하기 어려워 행정소송을 제기하기는 어려울 것이다.

또한 행정지도가 법령에 위반한 잘못된 것이어서 이를 따랐다가 피해를 입은 자는 국가배상법에 따라 손해의 배상을 청구할 수도 있다. 다만 이 경우 위법행위와 손해발생과의 인과관계가 문제될 수 있는데 일반적으로 임의적인 의사에 따라 행정지도를 따른 경우 인과관계가 인정되기 어려우나 사실상 강제에 의한 경우, 즉 제반사정을 고려할 때 국민이 행정지도를 따를 수 밖에 없는 불가피한 경우라고 해석되는 경우에는 인과관계가 존재한다고 보아 국가의 배상책임을 인정할 수 있다 할 것이다.

이와 같은 법리만을 이야기해주면 회사에서는 "그럼 이걸 지키라는 말이냐, 지키지 말라는 말이냐?"라고 당장 반문이 이어졌다. 이에 필자는 "지켜야 한다"는 입장이었다. 일단 위 가이드라인과 달리 판단할 P2P 대출 관련 법규정이 없기 때문에 위 가이드라인을 지키지 않겠다고 하면 사실상 P2P 대출업체를 마음대로 운영하겠다는 것과 같기 때문에 이를 지키지 않겠다고 할 명분이 분명치 않다. 게다가 위 가이드라인에서 제시하고 있는 대부분의 내용들은 투자자 보호를 위해서 반드시 필요한 사항들이기 때문에 이를 지키지 않겠다는 것 또한 투자자 보호를 무시하겠다는 것이므로 이와 같은 태도를 유지하는 경우 투자자 유치에 어려움을 겪게 될 것이기 때문이었다. 행정지도는 사실상의 강제성을 통한 법치주의의 붕괴, 한계와 책임 소재의 불분명으로 인한 책임행정의 이탈 등 여러 문제점을 지적받기도 하지만, 한편으로 법적 근거가 없는 경우에 적법성의 문제를 완화시켜주고 행정의 상대방에 대해서는 합의에 유사한 의미를 갖게 함으로써 분쟁을 미연에 방지하고 행정에 적극적인 협력을 가능하게 하는 순기능적 측면도 무시할 수 없다. 장기적으로는 P2P 대출에 적합한 법규를 새로 만들어야 하겠지만 그 전까지는 위와 같은 가이드라인을 통해 자율적 시장 질서 형성이 필요하다는 것이 필자의 생각이었다.

04

P2P 대출회사에 대한
금융감독원 등록 의무화

금융위원회는 P2P 대출시장의 급속한 성장에 따른 이용자 보호 필요성에 대응하기 위하여 위와 같이 2017. 2. 「P2P 대출 가이드라인」을 발표함에 이어, P2P 대출에 연계된 대부업자를 감독하기 위한 법령상 근거를 명확히 하고 그 밖의 법령 운용과정의 미비사항을 정비하고자 대부업법 시행령을 개정하였다. 위 개정 시행령은 P2P 대출 관련업자의 법령상 정의를 분명히 하고, 이들 P2P 대출과 연계한 대부업자를 과거 시·도지사 등록에서 금융위원회 등록으로 변경하였으며, 금융위원회에 등록하는 대부업자에 한하여 자기자본의 10배 범위 내에서 대부가 가능한 제한에서 배제시켜 주는 것을 주요 골자로 하고 있다. 위 시행령은 2017. 8. 29.부터 시행되었으나, 부칙 제2조에서 "이 영 시행 전에 법 제3조 제1항에 따라 시·도지사에게 대부업의 등록을 한 후 제2조의4의 개정규정에 따른 대부업(이하

"온라인대출정보연계대부업")을 하고 있는 자는 이 영 시행일부터 6개월까지는 금융위원회에 법 제3조 제2항에 따른 등록을 하지 아니하고 온라인대출정보연계대부업을 할 수 있다"라고 유예기간을 둠으로써 2018. 2. 28.까지 모든 P2P 대출 연계 대부업자가 금융위원회에 등록하도록 유도하였다.

P2P연계대부업 등록요건 주요내용

구 분	자기자본	교육이수	고정사업장	기 타
등록요건	3억 원 이상	8시간 (대표이사 등)	건물 소유 또는 임차 등	대주주 사회적 신용 요건·임원 자격 등
법상근거	대부업법 §3의5	좌동	좌동	대부업법 §3의5, §4

대부업법은 원칙적으로 시·도지사에게 등록하도록 하고 있으며, 예외적으로 ① 둘 이상의 시·도에서 영업소를 설치하려는 자, ② 대부채권매입추심을 업으로 하려는 자, ③ 「독점규제 및 공정거래에 관한 법률」 제14조에 따라 지정된 상호출자제한기업집단에 속하는 자, ④ 최대주주가 여신금융기관인 자, ⑤ 법인으로서 자산규모 100억 원을 초과하는 범위에서 대통령으로 정하는 기준에 해당하는 자, ⑥ 그 밖에 위 ①~⑤에 준하는 등 대통령으로 정하는 자에 한하여 금융위원회에 등록하도록 하고 있었다. 개정 대부업법 시행령은 위 ⑥에 근거하여 모든 P2P 연계 대부업체에 대해 금융위원회에 등록하도록 의무화하였다. 하지만 자산규모 100억 원을 초과하는 대부업체에 대해서만 금융위원회에 등록하도록 분명히 규정하고 있음

에도 불구하고 P2P 연계 대출업체의 경우에는 통일적·전문적 관리를 위해 규모에 관계없이 금융위원회에 등록하도록 강제하는 것이 대부업법의 위임취지에 반하는 것은 아닌지 의문이었다. 필자는 근본적으로 P2P 대출과 관련해서는 연계 대부업체를 별도로 둘 필요가 없다는 입장이었고, 이에 당연히 대부업법 적용도 배제되어야 한다는 입장이었기 때문이다. 다행스럽게도 이후 법제화된 「온라인 투자연계금융업 및 이용자 보호에 관한 법률」에서는 P2P 대출업을 대부업으로 취급하던 것에서 벗어나 완전히 새로운 핀테크 금융업으로 인정하면서, P2P 연계 대부회사와 플랫폼회사라는 비정상적인 2원적 구조에서 벗어나 플랫폼회사 자체만으로 운영할 수 있게 되었으며, 대부업의 규제에서 벗어나면서 투자자들이 부담하는 세금 또한 투자수익의 27.5%에서 15.4%로 낮아지게 되었다. 새롭게 제정된 법률의 구체적인 내용에 대해서는 뒤에서 보다 자세히 설명하기로 한다.

05

P2P 대출 가이드라인
연장안 발표

위 2017. 5. 29.부터 시행된 P2P 대출 가이드라인의 유효기간이 1
년으로 제한되어 있었던 관계로 시간이 지남에 따라 위 가이드라인
의 연장이 필요하게 되었다. 이에 2018. 2. 27. 금융위원회는 P2P 대
출 가이드라인 연장 시행 방침을 발표하였다.

위 연장안은 앞선 가이드라인의 큰 틀을 유지하면서 공시정보의
구체화 등 투자자 보호 내용을 보강하였고, 기존 가이드라인에서 1
인당 투자한도가 너무 낮아 P2P 대출업의 발전을 저해하고 투자자
들의 투자 요구도 충족시켜 주지 못하고 있다는 비판을 받아들여 일
단 개인투자자의 연간 누적투자금액을 1천만 원에서 2천만 원으로
상향하였다. 다만 부동산 관련 대출 쏠림 현상이 심화되고, 부동산
관련 대출의 부실률 또한 다른 대출에 비하여 상대적으로 높다는 점

을 감안하여 부동산 PF 대출, 부동산 담보대출에 대해서는 기존 가이드라인과 마찬가지로 연간 누적투자금액을 1천만 원으로 제한하였다.

P2P 대출 가이드라인 연장 시행(2018. 2. 27.부터 시행)

- **(투자한도 변경)**
  일반 개인투자자 : 연간 누적금액 1천만 원 2천만 원으로 상향(동일차입자 5백만 원)
  다만, 부동산 PF 대출, 부동산 담보대출에 투자하는 경우는 여전히 1천만 원
  소득적격 개인투자자 : 연간 누적금액 4천만 원(동일차입자 2천만 원)
- **(사업정보 제공)**
  P2P 대출플랫폼의 재무현황, 대주주현황에 대한 정보 제공을 의무화
- **(부동산 PF 공시 구체화)**
  차주의 자기자본투입 여부·비율, 월별 대출금 사용내역, 월별 공사진행 상황 등
- **(대출자의 대출현황 공시 강화)**
  대출자가 동일 P2P 플랫폼을 통해 복수의 대출을 받은 경우 그 사실과 모든 대출현황을 공시

06

P2P 금융 회사 관련 잇단 악재

2017년 말 머니옥션과 골든피플이 파산 또는 회생절차에 들어간데 이어, 2018년 들어서도 아나리츠, 더하이원펀드, 오리펀드, 헤라펀딩 등도 수사기관의 조사를 받는 등 각종 문제가 발생하였다. 이에 금융감독원은 2018. 3.부터 P2P 대출업체들에 대한 현장점검에 나서 2018. 6. P2P 대출업체들에 대한 실태조사 보고서를 배포하고 투자자들에게 보다 신중한 투자를 당부하기도 하였다.

이와 같은 일련의 사태가 벌어지자 언론들은 앞 다투어 "P2P 대출이 핀테크의 첨병에서 미운오리새끼로 전락했다", "P2P 대출이 서민들의 발등을 찍고 있다"는 등의 자극적인 기사들을 쏟아내기도 했다. 하지만 필자를 포함한 많은 전문가들은 이와 같은 P2P 대출과 관련한 사건·사고는 예상하고 있었기 때문에 그렇게 놀랍지는 않다. 다만 그 시기가 예상보다 빠르다는 느낌이었고, 이에 아직 초창기 단계에 있는 P2P 대출 시장이 위축되고 있는 것 같아서 안타까울 따름이었다.

◎ P2P 금융업체들에 대한 현장점검

P2P 금융업은 10~20%대의 중금리 대출시장 플레이어이다. 이들 중금리 대출시장의 경쟁상대로는 저축은행과 일반 대부업체를 들 수 있다. 그런데, 저축은행의 경우 상호저축은행법에서 지역에 따라 40억 원에서 120억 원까지의 자본금을 구비하도록 요구하고 있고, 대부업체의 경우에도 금융위원회에 등록하기 위해서는 자산규모가 100억 원을 초과하여야 하며, 대형 대부업체는 저축은행을 인수하는 사례들도 생겨났다.

이에 비하여 P2P 대출업의 경우 P2P 연계 대부업체들에 한하여 3억 원의 자본금을 요구하고 있을 뿐이었다. 이마저도 2017년 8월 대부업법 시행령 개정으로 자본금 요건이 처음으로 도입된 것이라 그 전까지는 자본금에 구애받지 아니하고 누구나 쉽게 P2P 대출업을 시작할 수 있었다. 결국 P2P 대출업체는 중금리 대출 시장의 다른 플레이어들과 비교해서도 자본과 인력이 부족할 수밖에 없고, 특히 신생 소형 P2P 대출업체는 그 정도가 더 심하였다.

이와 같은 문제점을 인식한 금융감독원은 2018년 3월과 4월에 걸쳐 75개의 P2P 연계 대부업자(대부분은 P2P 업체 자회사)를 대상으로 P2P 대출 취급 실태조사를 진행하였다. 실태조사의 주요 내용은 다음과 같았다.

상위 10사의 대출잔액(6,039억 원)이 점검대상 전체(9,976억 원)의 61%, 대출건수는 전체(17,625건)의 78%를 차지하는 등 대형사에 편중된 현상을 보였으며, 건별 대출금액은 평균 5,700만 원, 중소형사의 건별 대출금액이 대형사(4,400만 원)보다 많은 것으로 나타났다. 이와 같은 이유는 대형사 중 3,000만 원 미만의 신용대출을 다수 취급하는 업체 등의 영향인 것으로 보인다.

점검대상 P2P 연계대부업자의 대출 현황

('18.2월말 기준, 단위 : 억 원, 건, %)

구 분	대형(10개) : 잔액 300억 원 이상		중형(34개) : 잔액 30억 원 이상		소형(31개) : 잔액 30억 원 미만		전 체
누적 대출액	12,807.6	(56.4)	8,103.2	(35.7)	1807.9	(7.9)	22,718.7
대출 잔액	6,039.4	(60.5)	3,264.5	(32.7)	672.5	(6.8)	9,976.4
대출건수	13,735	(77.9)	2,776	(15.8)	1,114	(6.3)	17,625
건별 대출금액	0.44		1.18		0.60		0.57

대출 유형은 개인 및 법인에 대한 신용대출과 PF, 부동산, 동산 등의 담보대출로 구분되며, 담보대출 비중이 83% 수준이며 이 중 PF 및 부동산담보 대출 비중이 매우 높은 것으로 나타났다.

대출 금리는 신용도와 담보별로 다양하나, 평균금리는 12~16%로 중금리 구간을 형성하고 있으며, 플랫폼 수수료는 대부분 차입자로부터 대출기간과 무관하게 대출건별로 평균 3.0% 수수료를 수취하고 있는 것으로 나타났다.

대출금리, 수수료 현황

('18.2월말 기준, 단위 : %)

대출구분 항 목	신용 대출		담보 대출			전 체
	개인	법인	PF	부동산	기타	
대출금리 범위	3.7~27.9	4.5~19.9	8~25	3.1~24	6~25	3.1~27.9
평균금리	12.4	12.4	16.2	14.7	14.9	14.9
수수료율 (차입자 평균)	2.5	2.1	4.2	2.6	2.5	3.0
수수료율 (투자자 평균)	1.0	0.4	0.4	0.5	0.5	0.5

P2P 대출의 평균 연체율은 2.8%, 부실률은 6.4%이나 대출 유형 중 PF 대출의 경우 각각 5.0%, 12.3%에 이르는 것으로 나타났다. 다만 상위 10개사 중 연체·부실률이 높은 2개사를 제외한 8개사의 연체·부실률은 각각 1.1%, 1.7%로 비교적 양호한 수준을 보이는 것으로 나타났다.

연체·부실률 현황

('18.2월말 기준, 단위 : %)

대출구분 항 목	신용 대출		담보 대출			전 체
	개인	법인	PF	부동산	기타	
연체율 (30~90일 연체)	1.8	2.4	5.0	3.0	2.0	2.8
부실률 (90일 이상 연체)	4.8	2.7	12.3	1.7	6.3	6.4

위 실태조사를 통해 P2P 대출업체의 평균 임직원 수는 10.5명이고, 심사인력 수는 3.7명 수준이라는 점이 확인되었다. 이와 같은 자본금과 인력의 부족 등으로 대출 심사나 운영이 부실해질 가능성은 높을 수밖에 없으나, 이와 같은 자본과 인력의 부족은 시장 형성 초기에 발생하는 어쩔 수 없는 현상이라고 볼 수도 있고, 시장 규모가 커짐으로 인하여 점차 극복할 수 있다고 생각해 볼 수도 있다. 문제는 일부 P2P 대출업체의 모럴헤저드에 있다.

사고가 난 일부 P2P 대출업체의 경우 당초 인터넷을 통해 광고하였던 것과 다른 곳에 대출이 나가거나 심지어 아예 대출이 나가지 않은 경우도 있었고, 일부는 대표이사가 회사 돈을 횡령하는 사건까지 벌어진 것으로 알고 있다. P2P 대출업체 또한 엄연한 금융업의 일부임을 생각한다면 고객 자산에 대한 선량한 관리와 이를 통한 고객 신뢰가 생명인 금융산업에서 이와 같은 행동들은 산업에 치명적인 해를 끼치게 된다.

그 밖에도 이번 금융감독원 현장조사에서는 대출 신청 단계, 대출 심사 단계, 투자자 모집 단계, 대출 실행 단계, 대출 사후관리 단계, 청산관리 단계별로 다양한 문제점들이 확인되었다.

① 대출 신청 단계
허위 건설사업 등을 내세워 대주주 등 이해관계자에게 특혜대출하거나 투자금 유용으로 투자자에게 피해가 발생한 사례가 발생, 점검대상 75개사 중 5개사는 관계사 및 대주주 등에 대출을 실행한 사

실 적발, P2P 업체 직원이 허위 차주(명의도용)를 내세워 대출신청 후 투자자 모집자금을 유용한 사기사건이 발생

② 대출 심사 단계

P2P 연계 대부업자는 사실상 페이퍼컴퍼니로서 대출 심사를 포함한 영위 업무의 대부분을 P2P 업체가 직접 수행, PF 사업 진행이 불투명한데도 이를 알지 못한 채 대출이 실행되어 대출금 전액의 부실이 발생한 사례

③ 투자자 모집 단계

부동산 PF 등 일부 고위험 대출과 관련한 투자자 유치시 경쟁이 심화됨에 따라 경품 과다제공, 허위공시, 투자위험 미공시 등의 불건전 영업행위 적발, 차주에게 사실상 장기(예: 12개월)로 대출하면서 투자자에게는 단기(예: 3개월)로 조달받아 직전 투자자에게 원금을 상환하는 이른바 '돌려막기' 사례도 적발, 이와 같은 '돌려막기'로 인하여 만기불일치에 따른 유동성 리스크가 높아지는 문제 발생

불건전 투자자 모집 사례

☐ (허위 공시) 토지 담보권이 없으면서 PF 담보대출로 허위공시
☐ (과장 공시) 담보로 설정한 토지의 가치를 실제보다 과대평가하여 공시
☐ (공시 미이행) 담보대출 투자자를 모집하였으나 대출실행 후 담보권 설정 미이행
☐ (불성실 공시)
  · PF 사업이 악화되었는데도 투자자에게 알리지 않고 대출 갱신(Roll-Over)
  · 공사현장을 CCTV로 공개하면서 진입로 협소 등 불리한 입지조건 미공시

④ 대출 실행 단계

대출금리는 중금리 수준(12~16%)이나, 연율 환산 플랫폼 이용료 등을 감안시 차주의 실질 금융부담은 대부업자와 유사한 고금리 수준임을 확인, 일부 중소형사는 법규 인식수준이 낮아 대출계약서 필수기재사항 누락 등 대부업법 위반 소지 발견, P2P 도입 취지와 달리 PF 대출 쏠림이 심화됨에 따라 향후 부동산 경기 하락시 투자자 손실 확대 가능성이 매우 높음

⑤ 대출 사후관리 단계

투자금은 별도 관리(에스크로)하는 반면 대출상환 원리금은 P2P 업체가 임의로 관리하고 있어 지연지급, 횡령 등의 문제가 발생할 가능성이 높음. 임직원 1~3인 정도의 페이퍼컴퍼니 구조에서 P2P 업체 소속직원이 채권추심 업무를 수행하면 신용정보법 등 관련 법규에 위반될 소지가 있음. 전산보안 전문인력이 부족하여 개인·신용 정보 관리 부실, 해킹 등으로 고객정보 유출 우려, P2P 대출 및 투자금과 관련한 회계처리기준이 부재하여 회계처리방식이 업체별로 상이한바 재무상태 비교가 어렵고 이에 따라 회계에 대한 신뢰도도 떨어지는 상황

FINTECH
FINANCIAL TECHNOLOGY

「신용정보의 이용 및 보호에 관한 법률」('신용정보법')

제27조의2(무허가 채권추심업자에 대한 업무위탁의 금지)

대통령령으로 정하는 여신금융기관, 대부업자 등 신용정보제공·이용자는 채권추심회사 외의 자에게 채권추심업무를 위탁하여서는 아니 된다.

제50조(벌칙)

② 다음 각 호의 어느 하나에 해당하는 자는 5년 이하의 징역 또는 5천만 원 이하의 벌금에 처한다. 〈개정 2017. 11. 28., 2020. 2. 4.〉

5의3. 제27조의2를 위반하여 채권추심회사 외의 자에게 채권추심업무를 위탁한 자

⑥ 청산관리 단계

대부분의 P2P 업체는 도산 등 영업 중단시 잔여 채권의 추심, 상환금의 배분 등에 대한 대비책이 없는 실정임. 따라서 P2P 업체가 부실화 되는 경우 원리금이 정상 상환되고 있는 대출채권이 대부업자에게 매각되거나 상환금이 다른 투자자에게 배분될 개연성도 농후함.

금융감독원이 제시한 '투자자 유의사항' 10계명

○ P2P 연계대부업자의 금융위 등록여부 확인

금융위에 등록하지 않은 P2P 대출업체는 **불법업체**이므로 금감원 파인 홈페이지(http://fine.fss.or.kr)에서 등록대부업체 여부를 반드시 확인

○ 'P2P 대출 가이드라인' 준수 여부 확인

협회가입 P2P 업체는 가이드라인 점검결과를 공시하고 있으므로 건전영업 여부를 확인 후 투자하는 것이 바람직

○ 부적격 차주를 걸러낼 수 있는 심사능력 확인

P2P 업체의 임직원 수, 심사담당 직원 수, 외부 전문기관에 의한 위탁심사 여부 등을 통해 심사능력이 충분한지 확인

○ 인터넷 카페 등을 통해 P2P 업체 정보를 확인

인터넷 카페* 등에서 P2P 업체의 **상품정보, 연체발생사실, 평판** 등을 확인할 필요

  * 피자모, 크사모, 펀사모, P2P연구소 등 다수의 인터넷 카페가 운영 중이며, P2P 업체의 상품 홍보, 투자자간 정보 공유 등 가능

○ 과도한 투자이벤트 실시 업체에 대한 투자는 각별히 유의

각종 이벤트로 투자자를 현혹하는 업체일수록 **불완전판매 소지,**

재무상황 악화, 대출 부실화 가능성 등이 높음에 유의

◎ 개인 및 신용정보 관리 실태 확인

　충분한 IT · 보안 설비 및 인력을 갖출만한 규모인지 확인

◎ 예치금 분리 보관 시스템 도입 여부와 투자금 입금계좌 예금주 확인

　은행 등과 연계된 **고객예치금 분리 보관 시스템*** 도입 및 **본인명**

　의 가상계좌로 투자금이 입금되는지 확인

　　* P2P 업체의 파산 · 해산시 제3자의 가압류 등으로부터 투자예치금을

　　　보호하기 위하여 은행 명의의 계좌에 예치하거나 신탁하는 방식

◎ 고금리 상품은 부실위험이 높다는 사실 유의 필요

　고위험 · 고금리 상품(후순위 담보대출 등)은 부실 위험이 상당

　하므로 **원금손실이 발생할 수 있음을** 유의

◎ PF 사업 등에 대한 만기연장 및 재모집 상품 주의 필요

　PF 사업 등에 대한 대출만기연장, 투자자 재모집 상품은 향후 연

　장 · 재모집이 **원활하지 않을 경우 부실 위험이 높음**

◎ 담보대출 투자는 실제 담보권 설정여부 확인 필요

　저당권 설정 등 담보권 내용이 공시되어 있는 지 확인하고 필요

　시 P2P 업체에 관련 **정보 공개요구**

07

2019년 P2P 대출 가이드라인
개정 방안 발표

2018. 12. 12. 금융위원회는 "P2P 대출 가이드라인 개정 방안 및 법제화 방향—P2P 대출 시장의 소비자 보호를 강화하고 핀테크 산업으로 건전하게 육성해 나가겠습니다"라는 제목의 보도자료를 발표하였다.

개정안의 주요 내용으로는 ① PF 대출 공시 항목 확대 및 주요사항 외부전문가 검토, 부동산 대출 선공시 제도 도입 등 P2P 업체의 정보 공시 의무 대폭 강화, ② 만기불일치 자금운용 금지, 만기연장 재대출 및 분할대출에 대한 경고문구 표시 등 불건전·고위험 영업제한, ③ 대출상환금 분리 보관, 청산업무 처리절차 마련, 연체채권 관리 강화 등 투자자 자금 보호제도 강화, ④ 외부기관을 통한 개인정보 보안 관리 체계 점검, P2P 업체 직원의 이해상충 범위 포함 등 P2P 업체의 정보보안 및 이해상충 관리 강화, ⑤ 타 플랫폼을 통해 P2P 대출 광고·판매시 투자자에 충분한 정보 제공 등이 있었다.

그리고 이와 같은 P2P 대출 가이드라인 개정안과는 별도로 P2P 대출업과 관련한 제정안 3건 및 대부업법·자본시장법 등의 개정을 통한 입법을 시도하는 개정안 2건 등 총 5건의 발의된 법안을 중심으로 주요쟁점별 금융위원회의 대안을 마련하고, 이를 바탕으로 법안 소위 등에서 충실한 논의를 거쳐 신속히 법제화가 될 수 있도록 국회의 입법을 적극적으로 지원할 예정이라고 밝혔다.

위와 같이 개정된 P2P대출 가이드라인은 2018. 12. 11.부터 2018. 12. 26.까지 의견수렴 기간을 가지고 2019. 1. 1.부터 시행되었고 이후 1년의 시행기간이 끝난 뒤에도 1년의 기간이 추가로 연장되었다. 「온라인투자연계금융업 및 이용자 보호에 관한 법률(이하 '온라인투자연계금융업법')」이 시행된 2020. 8. 27.을 기준으로 P2P 대출 가이드라인은 약간의 수정이 가해졌고, 수정된 가이드라인은 기존 P2P 업체들의 등록 만료일인 2021. 8. 26.까지 효력을 유지한 뒤 소멸할 예정이다. 2020. 8. 27. 추가 수정된 가이드라인은 등록유예 기간 동안 「온라인투자연계금융업법」에 따라 등록한 P2P 업체'와 '기존 업체로서 기간 유예를 받아 등록을 마치지 않은 P2P 업체' 사이의 규제 차이로 인해 발생할 수 있는 다양한 이용자 보호장치들을 마련하였다. 주요 내용으로는 ① 중요 경영공시 사항 및 청산업무 처리절차 공시의무를 확대하고, ② 돌려막기·투자자 차별·과도한 리워드 제공·투자자 손실보전 행위 등 불건전 영업행위를 제한하고, ③ 대출채권·원리금수취권 등의 자산을 담보로 P2P 대출 등 고위험 대출 상품 취급을 금지하는 내용 등이 있다.

08

온라인투자연계금융업법 제정

⚙ 법제화 요청

시장은 충분히 커졌고 이들 P2P 대출중개업에 대한 법제화에 대한 목소리는 점점 높아져 갔다. 앞서 살펴본 바와 같이 과거 P2P 대출중개업에 명백하게 적용된다고 보는 거의 유일한 법규정은 대부업법 밖에 없었다[2]. 그런데 이 대부업법은 P2P 대출업체로 하여금 별도의 대부회사 설립을 강제하도록 하고 있는데 사실상 페이퍼컴퍼니에 불과한 대부회사를 왜 세워야 하는지에 대해서도 명확한 이유를 찾을 수가 없을 뿐만 아니라 이와 같은 불합리함으로 인하여 회사들은 혼란스러워하고 실태조사에서 나타난 바와 같이 플랫폼

---

2) 물론 필자는 과거에도 법 해석상으로 P2P 대출중개업에 대해 「유사수신행위의 규제에 관한 법률」, 「신용정보의 이용 및 보호에 관한 법률」, 「개인정보 보호법」 등이 적용될 여지가 있다는 점을 지적한 바 있다.

회사와 대부회사의 업무 분장이나 역할 등도 제대로 정립되고 있지 않았다. P2P 대출로 인해 발생하는 수익에 대해 일반 이자소득세 15.4%보다 훨씬 높은 대부업법상의 소득세율 27.5%를 부과함으로써 고율의 세금이 투자자에게 전가되고 있는 문제를 굳이 언급하지 않더라도, 개인을 중심으로 한 소액투자자금을 대출채권에 투자하는 P2P 대출을 대부업법으로 규율하는 것은 논리적으로도 타당하지 않다는 것이 필자의 생각이었다.

⚙ 온라인대출중개업에 관한 법률안 국회 상정

이와 같은 문제점을 인식하고 이미 오래전부터 국회에 P2P 대출 관련 법안이 상정되어 있었다. 2018. 12. 기준 P2P 대출업과 관련한 제정안 3건 및 대부업법·자본시장법 등의 개정을 통한 입법을 시도하는 개정안 2건 등 총 5건이 법안 발의되어 있었다. 이 중 2017. 7. 20. 민병두 의원을 포함한 11명의 국회의원이 발의한 「온라인대출중개업에 관한 법률(안)」이 가장 먼저 발의되었다. 이어 2018. 2. 23.에는 김수민 의원을 포함한 10명의 국회의원이 「온라인 대출거래업 및 이용자 보호에 관한 법률(안)」을 발의하였다. 2018. 11. 23. 정무위원회 소위원회에서 국회 소속 수석전문위원이 발의된 법안들에 대한 대략적인 내용들을 국회의원들에게 소개하였고, 금융당국 관계자는 이들 5개 법안의 내용을 취합하여 보다 발전적인 방향의 정부안을 내기로 약속하였다. 하지만 그 이후 별다른 진전을 보이지 않고 있었다. 하지만 P2P업체 및 여러 관계기관들의 법제화 목소리는 계속되었고, 이에 2019. 8. 22. 국회 정무위원회에서 P2P 대출 관련 5개

입법안을 아우르는 대안을 제시하기로 합의하였고, 이로부터 2달여 지난 2019. 10. 31. 「온라인투자연계금융업법」은 국회 본회의를 통과하였다.

P2P 대출 시장이 2015년 대출 잔액 80억 원에서 2019년 6월말 기준 누적 대출액이 6조 2,000억 원에 이를 정도로 P2P 대출 시장이 급성장했음에도 불구하고 이를 규제하는 법률없이 금융위원회의 'P2P 대출 가이드라인'에 의존하고 있던 P2P 대출 시장에 간만에 반가운 소식이 아닐 수 없었다. 하지만 금융당국이 'P2P 대출 가이드라인 제정을 위한 T/F팀'을 구성한 것이 2016. 7.이었고, 같은 해 11월에 필자가 국회에서 'P2P 대출 법제화를 위한 입법공청회'에 참여하였던 점을 생각해 보면 위 법제화 과정은 보기와는 달리 지루하고 힘겨운 과정의 연속이었음을 다시 한 번 실감할 수 있었다. 법제화를 이끌어내는데 혼신의 힘을 다한 업계 관계자분들과 관계 전문가들에게 다시 한 번 큰 박수를 보낸다.

◎ 온라인투자연계금융업법의 주요 내용

위 법은 당장 시행되는 것이 아니라, 다소 간의 유예기간을 두고 있었다[3]. 이미 수많은 P2P 대출회사들이 업무를 수행하고 있는 상황을 감안한 필수적 조치라고 판단된다. 먼저 이 법은 공포 후 9개월이 경과한 날부터 시행하기로 규정하였기에 2020. 8. 27.부터 시행되

---

3) 앞서 살펴본 바와 같이 위 유예기간 동안은 P2P 대출 가이드라인을 통해 규율된다.

었다. 법 제정을 계기로 새롭게 P2P 대출업을 시행하려는 회사도 있을 수 있는데, 법 시행 이전에 미리 준비를 시작해야 하는 점을 감안하여 이들 새로운 회사들의 금융위원회에 대한 신규 등록 신청은 법 시행일보다 2개월 먼저 받기로 하였고, 2020. 6. 27.부터 등록신청을 받았다. 또한 자본금 요건이 3억 원에서 5억 원으로 상향되는 등 P2P 업체들에 대한 기준이 강화되었기 때문에 기존 P2P 업체들은 법 시행 후 1년 이내에 금융위원회에 등록하도록 하여 준비기간을 충분히 두었고[4], 위와 같이 새로운 등록 절차를 마치기 전까지는 신법을 적용하지 않는 등 기존 P2P 업체의 업무수행에 애로사항이 발생하지 않도록 하였다. 그 밖에도 이번 법을 통해 처음으로 시행되는 중앙기록관리기관, 온라인투자연계금융협회 관련 규정 그리고 투자자별 투자한도에 관해서는 공포 후 1년 6개월을 넘지 않는 범위에서 대통령령으로 정하는 날부터 시행하도록 규정하였다.

온라인투자연계금융업법의 주요 내용을 살펴보면 다음과 같다[5].
먼저 과거 P2P 대출업을 대부업으로 취급하던 관행을 타파하고 완전히 새로운 금융업으로 인정하였다. 즉 별다른 이유도 없이 P2P 대출을 대부업과 유사하게 취급하고 대부업회사를 별도로 두게 함으로써 기업들로 하여금 P2P연계 대부회사와 플랫폼회사를 동시에 운영하도록 하는 비정상적인 2원적 구조에서 벗어나 플랫폼회사 자체만으로 P2P 대출업을 영위할 수 있도록 한 것이다. 이에 따라 투

---

4) 이에 따라 기존에 P2P 대출업을 영위하던 업체들은 2021. 8. 26.까지 금융위원회에 등록을 마쳐야 한다.
5) 법조문 전체 내용은 이 편 마지막에 첨부된 바와 같다.

자자들 또한 과거 투자수익의 27.5%를 세금으로 떼이던 것에서 15.4%의 낮은 세율을 적용받을 수 있게 되었고, 그 차액만큼의 추가 수익을 기대할 수 있게 되었다.

다음으로 다소 불분명하였던 차입자로부터 P2P 회사가 받을 수 있는 수수료 상한액을 분명히 하였다. 차입자로부터 받을 수 있는 최대 수수료는 빌려주는 돈의 24%를 넘지 못하며, 이는 대출 이자뿐만 아니라 플랫폼 사업자가 수취하는 수수료 등도 모두 포함하는 것임을 명시하고 있다. 과거에는 플랫폼 사업자가 수취하는 수수료가 위 24%의 범위에 포함되는 것인지에 대한 논란이 있었고 필자도 이에 관한 법률질의를 많이 받았는데, 법률을 통해 플랫폼 사업자의 수수료도 포함된다는 점을 분명히 한 것이다. 다만 이 중 해당 거래의 체결과 변제 등에 관한 부대비용으로서 대통령령으로 정한 사항은 제외하도록 규정하고 있으며 이와 같은 부대비용으로는 담보권설정비용이나 신용조회비용 등을 들 수 있다.

또한 대주주 및 임직원에게 대출을 금지함으로써 부당한 내부 대출이 실시될 위험성을 차단하였고, 업계에서 지금까지 관행적으로 활용되던 선대출(P2P 회사가 먼저 대출을 실행한 뒤 위 대출상품에 투자할 투자자를 모집하는 형태)을 금지하였다. 다만 당초 목표액의 80% 이상 모집이 이루어진 경우 일정 요건 하에 미달 금액의 범위 내에서 회사 자금으로 위 투자상품에 투자하는 제한적 투자는 가능하도록 하였다. 또한 차입자가 요청한 대출액에 상응하는 투자금의 모집이 완료되지 않은 경우에는 대출을 실행할 수 없도록 하되, 차입자가 모여진 금액만이라도 대출을 원하는 경우 투자자들에게 투자의사를 재확인한 후 대출을 실행하는 것은 가능하도록 하였다.

그리고 동일 차입자에 대해서는 P2P 회사가 보유하고 있는 총 대출채권 잔액의 10% 내에서만 대출이 가능하도록 하여 대출 쏠림현상을 방지하고자 하였고, 투자자의 투자 한도는 투자자의 투자목적, 재산상황, 투자경험, 연계투자 상품의 종류 및 차입자의 특성 등을 고려하여 정하되 이에 대한 구체적인 내용은 대통령령으로 위임하였다[6]. 또한 대부업자 및 대통령령으로 정하는 여신금융기관 등에게도 모집 금액의 40% 이내에서 대통령령으로 정하는 한도를 초과하지 않는 범위 내에서 P2P 상품에 투자할 수 있도록 함으로써 기관들의 P2P 투자 또한 명시적으로 가능하게 되었다.

그 밖에 기존 가이드라인 등에서 불분명하였던 원리금 수취권 양도·양수 중개 업무를 P2P 회사의 업무 중 하나로 열거함으로써 원리금 수취권 양·수도가 가능해졌다. 다만 이와 같은 양·수도는 전문투자자에게 양도하거나, 투자 손실가능성 및 낮은 유통 가능성을 인지하고 있는 자로서 대통령령으로 정하는 자에게 양도하는 경우에만 허용함으로써 거래를 어느 정도 제한하고자 하였다.

그리고 P2P 회사에게 대출채권에 대한 관리 및 추심 업무도 허용하고 있다. 이에 P2P 회사가 직접 추심하는 것도 가능하고, 「신용정보법」

---

[6] 동일 차입자에 대한 한도제한 및 투자자의 투자 한도제한 등은 다른 규정들과는 달리 2021. 5. 1.부터 시행하도록 정하였다.

에 따른 채권추심업 허가를 받은 자에게 위탁하여 추심할 수도 있다.

　마지막으로 P2P 회사는 투자금 등을 고유재산, 자기재산 대출 등과 구분하여 예치기관에 예치하도록 하고 있을 뿐만 아니라, P2P 회사가 파산하거나 회생절차에 들어가는 경우에도 투자자들의 투자금은 P2P 회사의 재산에 포함되지 않게 절연하고 투자자들의 투자금과 P2P 회사의 고유재산을 분리함으로써 투자자 보호에도 만전을 기하고 있다.

09

P2P 금융업의
미래

최근 드러난 다양한 문제들에도 불구하고 필자는 P2P 금융업이 소멸할 것으로 생각하지 않는다. 오히려 P2P 금융업은 더 발전할 것으로 기대한다. P2P 대출은 저축은행 등에서도 잘 취급하지 않는 3개월 미만의 단기 대출이 가능하다는 장점이 있을 뿐만 아니라 조직이 가볍기 때문에 대출 실행 여부에 대한 결정이 빠르고, 기존 금융권에서의 경직된 담보평가 및 상환능력 검토를 보다 유연화 하였기 때문에 대출자들에게 분명 매력적인 상품이다. 투자자의 입장에서도 기존 금융권의 이자보다 훨씬 높은 이자를 지급받을 수 있기 때문에 어느 정도의 리스크를 감수하더라도 투자할 만한 충분한 유인이 있는 것이다. 이와 같은 쌍방의 니즈(needs)가 분명히 존재하기 때문에 최근 들어 다소 주춤한 P2P 대출 시장은 앞으로도 그 규모를 계속 키워나갈 것으로 예상하는 것이다.

중소기업중앙회의 최근 조사결과에 따르면 조사대상 중소기업 300곳 중 32.7%의 업체가 P2P 대출을 이용할 의향이 있다고 답했다고 한다. 실제 중소기업을 운영하는 분들의 이야기를 들어보면 기존 금융기관들은 1년 미만의 단기 대출 상품을 거의 취급하지 않고 있으며 고율의 중도상환 수수료도 물리고 있기 때문에, 위와 같이 단기 급전이 필요한 경우 P2P 대출 업체를 찾게 된다고 한다. 특히 기존 금융기관에서 담보로서의 가치를 잘 인정해주지 않는 매출채권, 지식재산권, 재고자산 등에 대해서도 담보력을 인정해주고 무엇보다 신속한 대출이 가능하기 때문에 매력적이라는 것이다.

이와 같은 틈새 시장 공략의 대표적인 예로 무학그룹과 코스콤이 공동으로 출자하여 중금리 전자어음 할인방식을 적용하고 있는 '한국어음중개'를 들 수 있다. 한국은행에 따르면 2016년 전자어음 발행액은 519조 7,160억 원에 이르고 있다고 한다. 이들 대부분의 어음은 시중은행에서 할인을 거부하고 있기 때문에 어음을 소지한 중소기업들은 이를 활용할 방법이 없는지 고민일 수밖에 없는데 이 같은 틈새시장에서 중개플랫폼과 기업들이 상생할 수 있는 길을 찾아낸 대표적인 예라고 할 수 있다.

다만, 일련의 P2P 업체들의 사건·사고들은 성장통이라고 생각되며, 특히 시장에서의 옥석을 가리는 좋은 계기가 될 것으로 생각된다. 몇몇 사업자들의 일탈 행동으로 인하여 지금도 열심히 투자상품 개발 및 시스템 개발에 힘을 쏟고 있는 대다수의 P2P 금융업자들까지 매도당해서는 안 될 것이다.

물론 P2P 대출업이 보다 성장하기 위해서는 무엇보다도 P2P 회사들과 유관기관들의 노력이 무엇보다도 중요하다. P2P 금융회사들은 경영상황을 본인들의 홈페이지, P2P 금융협회 등을 통해 공시하고 금융당국은 이를 주기적으로 점검함으로써 P2P 금융회사 간의 선의의 경쟁을 유도하여야 할 것이다. P2P 금융회사들 또한 보다 치열해진 경쟁시장에서 살아남기 위하여 대출심사를 강화하고, 빅데이터 이용 등 각종 IT기법들을 이용하여 부실률을 낮출 뿐만 아니라 새로운 틈새상품을 개발하여 실력으로 고객들을 유치하는 노력들을 계속하여야 할 것이다.

P2P 대출업의 재도약 및 개선은 작년부터 시행된 「온라인투자연계금융업법」으로 가속화할 것으로 예상된다. 물론 기존 P2P 대출업체들에게는 2021. 8. 26.까지 금융위원회에 등록하도록 하고 등록을 마치기 전까지는 위 법의 적용을 유예해 주기로 하였으며, 일부 규정들은 내년부터 시행될 예정이기 때문에 우리 P2P 금융 시장에 완전히 이 법이 적용되는 데에는 약 1~2년의 시간이 더 필요할 것 같다. 이에 위 법률시행으로 인하여 P2P 금융 시장 자체가 급변할 것으로 생각되지는 않지만, 규정의 공백으로 인하여 겪는 투자자와 P2P 회사들의 혼란은 많이 해소될 것이다.

P2P 금융 회사들의 옥석가리기는 이미 시작되었다. 금융감독원은 「온라인투자연계금융업법」의 시행을 앞두고 기존 P2P 업체들에게 대출채권에 대한 회계법인 감사보고서 제출을 요구하였는데, 2020. 8. 26.까지 총 237개사 중에서 113개사가 회신하지 않았고, 감사보고

서를 제출한 업체들 중에서도 적정의견을 받은 곳은 78개사에 불과하였다[7]. 이와 같은 결과에 비추어 올해 8월로 예정된 금융위원회 등록과 관련하여 많은 업체들이 등록을 마무리하지 못하고, '미등록 P2P 업체'로 전락할 것으로 예상된다.

점전수조사 관련 감사보고서 제출 현황

전체	회신업체(124개사)					미회신업체(113개사)	
	제출(79개사)		영업실적 없음	제출곤란	제출기한 연장요청	기폐업	무응답
	적정	한정의견/ 의견거절					
237개사	78개사	1개사	26개사	12개사	7개사	8개사	105개사

[2020. 9. 2.자 금융감독원 보도자료]

P2P 대출업이 급성장하면서 P2P 회사들도 덩달아 우후죽순처럼 생겨났다. P2P 대출업의 법제화와 함께 이들 업체들에 대한 정리도 필요한 시점이다. 「온라인투자연계금융업법」이 정착되는 몇 년 후에는 지금처럼 수많은 기업들이 우후죽순처럼 난립하는 상황이 아니라 규모 또는 내실 면에서 우량기업들만이 살아남는 환경이 될 것이다. 시장에 대한 신뢰와 안정성을 바탕으로 준법경영과 윤리경영을 실천하는 P2P 회사들이 IT라는 새로운 세상과 융합하여 중금리 대출시장을 선도하는 역할을 해 줄 것을 믿어 의심치 않는다.

---

7) 2020. 9. 2.자 금융감독원 보도자료 [온라인정보연계대부업자(P2P연계대부업자) 1차 전수결과 및 온라인연계금융업 등록신청 관련 안내]

다만 현재와 같은 과도기적 상황에서 선량한 투자자나 대출자들이 불측의 손해를 입지 않도록 금융당국의 관심과 노력이 필요해 보인다. 최근 P2P 금융회사들이 갑자기 문을 닫는 경우들이 많아지면서 이들 회사 상품에 투자한 사람들의 투자금 회수가 어려워지는 문제들이 발생하고 있다. 투자자들이 누구보다 먼저 자신들의 재산을 지키기 위한 관심과 노력을 기울여야 하겠지만, 금융당국 또한 투자자들이 피해가 최소화될 수 있도록 사전 안내 및 관리감독을 강화할 필요가 있다. 또한 P2P 금융회사가 파산을 선언하는 경우 정상적으로 대출금을 갚고 있던 대출자에게 갑작스런 원금 상환 요청이 들어와서 피해를 입게 되는 경우도 있다. P2P 금융회사의 파산 시 적용될 수 있는 신속한 리파이낸싱(Refinancing)절차 등에 대한 구체적인 제도 마련 또한 필요할 것으로 생각된다.

온라인투자연계금융업 및 이용자 보호에 관한 법률

(약칭 : 온라인투자연계금융업법)

[시행 2020. 8. 27.] [법률 제16656호, 2019. 11. 26., 제정]

제1장 총칙

제1조(목적) 이 법은 온라인투자연계금융업의 등록 및 감독에 필요한 사항과 온라인투자연계금융업의 이용자 보호에 관한 사항을 정함으로써 온라인투자연계금융업을 건전하게 육성하고 금융혁신과 국민경제의 발전에 기여함을 목적으로 한다.

제2조(정의) 이 법에서 사용하는 용어의 뜻은 다음과 같다.

1. "온라인투자연계금융"이란 온라인플랫폼을 통하여 특정 차입자에게 자금을 제공할 목적으로 투자(이하 "연계투자"라 한다)한 투자자의 자금을 투자자가 지정한 해당 차입자에게 대출(어음할인·양도담보, 그 밖에 이와 비슷한 방법을 통한 자금의 제공을 포함한다. 이하 "연계대출"이라 한다)하고 그 연계대출에 따른 원리금수취권을 투자자에게 제공하는 것을 말한다.
2. "온라인투자연계금융업"이란 온라인투자연계금융을 업으로 하는 것을 말한다.
3. "온라인투자연계금융업자"란 제5조에 따라 온라인투자연계금융업의 등록을 한 자를 말한다.
4. "원리금수취권"이란 온라인투자연계금융업자가 회수하는 연계대출 상환금을 해당 연계대출에 제공된 연계투자 금액에 비례하여 지급받기로 약정함으로써 투자자가 취득하는 권리를 말한다.
5. "투자자"란 온라인투자연계금융업자를 통하여 연계투자를 하는 자(원리금수취권을 양수하는 자를 포함한다)를 말한다.

6. "차입자"란 온라인투자연계금융업자를 통하여 연계대출을 받는 자를 말한다.

7. "이용자"란 투자자와 차입자를 말한다.

8. "온라인플랫폼"이란 온라인투자연계금융업자가 연계대출계약 및 연계투자계약의 체결, 연계대출채권 및 원리금수취권의 관리, 각 종 정보 공시 등 제5조에 따라 등록한 온라인투자연계금융업의 제 반 업무에 이용하는 인터넷 홈페이지, 모바일 응용프로그램 및 이 에 준하는 전자적 시스템을 말한다.

9. "임원"이란 이사 및 감사를 말한다.

10. "대주주"란 다음 각 목의 어느 하나에 해당하는 주주를 말한다.

　가. 최대주주: 온라인투자연계금융업자의 의결권 있는 발행주식(출 자지분을 포함한다. 이하 같다) 총수를 기준으로 본인 및 그와 대통령령으로 정하는 특수한 관계에 있는 자(이하 "특수관계인" 이라 한다)가 누구의 명의로 하든지 자기의 계산으로 소유하는 주식(그 주식과 관련된 증권예탁증권을 포함한다)을 합하여 그 수가 가장 많은 경우의 그 본인

　나. 주요주주: 다음의 어느 하나에 해당하는 자

　　1) 누구의 명의로 하든지 자기의 계산으로 온라인투자연계금융 업자의 의결권 있는 발행주식 총수의 100분의 10 이상의 주 식(그 주식과 관련된 증권예탁증권을 포함한다)을 소유한 자

　　2) 임원의 임면(任免) 등의 방법으로 온라인투자연계금융업자 의 중요한 경영사항에 대하여 사실상의 영향력을 행사하는 주주로서 대통령령으로 정하는 자

11. "자기자본"이란 납입자본금·자본잉여금 및 이익잉여금 등의 합 계액으로서 대통령령으로 정하는 금액을 말한다.

제3조(다른 법률과의 관계) ① 이 법에 따라 등록한 온라인투자연계금융 업자가 온라인투자연계금융업을 하는 경우에는 「은행법」 및 「한국은

행법」을 적용하지 아니한다.

② 온라인투자연계금융업자가 온라인투자연계금융업을 하면서 차입자의 신용상태를 평가하여 그 결과를 투자자에게 제공하는 업무를 하는 경우에는 「신용정보의 이용 및 보호에 관한 법률」 제4조를 적용하지 아니한다.

③ 이 법에 따른 투자자가 연계투자를 하는 경우에는 「대부업 등의 등록 및 금융이용자 보호에 관한 법률」 제3조를 적용하지 아니한다.

④ 이 법에 따른 원리금수취권은 「자본시장과 금융투자업에 관한 법률」 제3조 제1항에 따른 금융투자상품으로 보지 아니한다.

제2장 온라인투자연계금융업의 등록 등

제4조(미등록 영업행위의 금지) 누구든지 이 법에 따른 온라인투자연계금융업 등록을 하지 아니하고는 온라인투자연계금융업을 영위하여서는 아니 된다.

제5조(등록) ① 온라인투자연계금융업을 하려는 자는 다음 각 호의 요건을 갖추어 금융위원회에 등록하여야 한다.

1. 신청인이 「상법」에 따른 주식회사일 것
2. 5억원 이상으로서 연계대출 규모 등을 고려하여 대통령령으로 정하는 금액 이상의 자기자본을 갖출 것
3. 이용자의 보호가 가능하고 온라인투자연계금융업을 수행하기에 충분한 인력과 전산설비, 그 밖의 물적 설비를 갖출 것
4. 운영하고자 하는 온라인투자연계금융업의 사업계획이 타당하고 건전할 것
5. 임원이 제6조 제1항에 적합할 것
6. 특정 이용자와 다른 이용자 간, 온라인투자연계금융업자와 이용자 간의 이해상충을 방지하기 위한 체계(제18조의 이해상충방지 체계

를 말한다)를 포함하여 적절한 내부통제장치가 마련되어 있을 것

7. 대주주(최대주주의 특수관계인인 주주를 포함하며, 최대주주가 법인인 경우에는 그 법인의 주요 경영상황에 대하여 사실상 영향력을 행사하고 있는 주주로서 대통령령으로 정하는 자를 포함한다. 이하 같다)가 대통령령으로 정하는 충분한 출자능력, 건전한 재무상태 및 사회적 신용을 갖출 것

8. 그 밖에 재무건전성 등 대통령령으로 정하는 건전한 재무상태와 법령 위반사실이 없는 등 대통령령으로 정하는 건전한 사회적 신용을 갖출 것

② 제1항에 따른 등록을 하려는 자는 등록신청서를 금융위원회에 제출하여야 한다.

③ 금융위원회는 제2항의 등록신청서를 접수한 경우에는 그 내용을 검토하여 2개월 이내에 등록 여부를 결정하고, 그 결과와 이유를 지체 없이 신청인에게 문서로 통지하여야 한다. 이 경우 등록신청서에 흠결이 있는 때에는 보완을 요구할 수 있다.

④ 제3항의 검토기간을 산정할 때 등록신청서 흠결의 보완기간 등 대통령령으로 정하는 기간은 검토기간에 산입하지 아니한다.

⑤ 금융위원회는 제3항의 등록 여부를 결정할 때 다음 각 호의 어느 하나에 해당하는 사유가 없으면 등록을 거부하여서는 아니 된다.

1. 제1항의 등록요건을 갖추지 아니한 경우

2. 제2항의 등록신청서를 거짓으로 작성한 경우

3. 제3항 후단의 보완 요구를 이행하지 아니한 경우

⑥ 금융위원회는 제3항에 따라 등록을 결정한 경우에는 온라인투자연계금융업자등록부에 필요한 사항을 기재하여야 하며, 등록결정한 내용을 관보 및 인터넷 홈페이지 등에 공고하여야 한다.

⑦ 온라인투자연계금융업자는 등록 이후 그 영업을 영위하는 경우에는 제1항 각 호의 등록요건(같은 항 제8호는 제외하며, 같은 항 제2호 및 제7호의 경우에는 대통령령으로 정하는 완화된 요건을 말한다)을

유지하여야 한다.

⑧ 제1항부터 제7항까지의 규정에 따른 등록요건, 등록신청서의 기재사항ㆍ첨부서류 등 등록의 신청에 관한 사항 및 등록검토의 방법ㆍ절차, 그 밖에 필요한 사항은 대통령령으로 정한다.

제6조(임원의 자격요건) ① 「금융회사의 지배구조에 관한 법률」 제5조 제1항 각 호의 어느 하나에 해당하는 사람은 온라인투자연계금융업자의 임원이 되지 못한다.

② 온라인투자연계금융업자의 임원으로 선임된 사람이 「금융회사의 지배구조에 관한 법률」 제5조 제1항 각 호의 어느 하나에 해당하게 된 경우에는 그 직(職)을 잃는다. 다만, 같은 법 제5조 제1항 제7호에 해당하는 사람으로서 대통령령으로 정하는 경우에는 그 직을 잃지 아니한다.

제7조(변경등록) ① 온라인투자연계금융업자는 제5조 제2항에 따라 제출한 등록신청서의 기재사항이 변경된 경우에는 그 사유가 발생한 날부터 15일 이내에 대통령령으로 정하는 바에 따라 변경된 사항을 금융위원회에 변경등록하여야 한다. 다만, 대통령령으로 정하는 경미한 사항이 변경된 경우는 제외한다.

② 제1항에 따른 변경등록과 관련한 세부적인 사항은 대통령령으로 정한다.

제8조(상호 등) 이 법에 따른 온라인투자연계금융업자가 아닌 자는 그 상호 중에 온라인투자연계금융업, 온라인대출금융업, 온라인투자연계대출업, 온라인연계대출업 또는 이와 유사한 명칭(대통령령으로 정하는 외국어문자를 포함한다)을 사용하여서는 아니 된다.

제3장 영업행위 규칙

제9조(신의성실의무) ① 온라인투자연계금융업자는 선량한 관리자의 주의로써 온라인투자연계금융업을 영위하여야 하며, 이용자의 이익을 보호하여야 한다.

② 온라인투자연계금융업자는 온라인투자연계금융업을 영위할 때 정당한 사유 없이 이용자의 이익을 해하면서 자기가 이익을 얻거나 제삼자가 이익을 얻도록 하여서는 아니된다.

제10조(온라인투자연계금융업자의 정보공시) ① 온라인투자연계금융업자는 이용자가 온라인투자연계금융업자의 영업건전성 및 온라인투자연계금융 이용방법 등을 쉽게 이해할 수 있도록 다음 각 호의 정보를 자신의 온라인플랫폼을 통하여 공시하여야 한다.

1. 온라인투자연계금융업의 거래구조 및 영업방식
2. 온라인투자연계금융업자의 재무 및 경영현황
3. 누적 연계대출 금액 및 연계대출 잔액
4. 차입자의 상환능력평가 체계
5. 연체율 등 연체에 관한 사항
6. 대출이자에 관한 사항
7. 수수료 등 부대비용에 관한 사항
8. 상환방식에 관한 사항
9. 채무불이행 시 채권추심 등 원리금 회수 방식에 관한 사항
10. 제26조의 투자금등의 예치기관에 관한 사항
11. 온라인투자연계금융업자의 등록취소, 해산결의, 파산선고 등 영업 중단 시 업무처리절차
12. 온라인투자연계금융 이용에 도움을 줄 수 있는 사항으로 대통령령으로 정하는 사항

② 제33조의 중앙기록관리기관 및 제37조의 온라인투자연계금융협회는

이용자에게 정보를 제공하기 위하여 온라인투자연계금융업자의 제1
항 각 호에 따른 정보를 자신의 인터넷 홈페이지 등을 통하여 공개할
수 있다.
③ 제1항 및 제2항에 따른 정보의 세부기준, 정보 공개의 범위 및 공개
방식 등에 대해서는 금융위원회가 정하여 고시한다.

제11조(온라인투자연계금융업자의 수수료 수취) ① 온라인투자연계금융
업자가 온라인투자연계금융업과 관련하여 이용자로부터 수수료를
수취하는 경우에는 대통령령으로 정하는 사항을 준수하여야 한다.
② 온라인투자연계금융업자는 「대부업 등의 등록 및 금융이용자 보호에
관한 법률」 제15조 제1항에서 정하는 율을 초과하여 차입자로부터
연계대출에 대한 이자를 받을 수 없다. 이 경우 이자율 산정 시 제1항
에 따른 수수료 중에서 차입자로부터 수취하는 수수료(해당 거래의
체결과 변제 등에 관한 부대비용으로서 대통령령으로 정한 사항은
제외한다)를 포함한다.
③ 온라인투자연계금융업자는 이용자로부터 받는 수수료의 부과기준에
관한 사항을 정하고, 온라인플랫폼에 이를 공시하여야 한다.
④ 온라인투자연계금융업자는 제3항에 따른 수수료의 부과기준을 정할
때 이용자들을 정당한 사유 없이 차별하여서는 아니 된다.

제12조(온라인투자연계금융업 관련 준수사항) ① 온라인투자연계금융업
자는 자신 또는 자신의 대주주 및 임직원에게 연계대출을 하여서는
아니 된다.
② 온라인투자연계금융업자는 차입자가 요청한 연계대출 금액에 상응
하는 투자금의 모집이 완료되지 않은 경우에는 연계대출을 실행하여
서는 아니 된다.
③ 제2항에도 불구하고 차입자가 연계대출 금액의 변경을 요청한 경우
에는 연계투자계약을 신청한 투자자들에게 투자의사를 재확인한 후

연계대출을 실행할 수 있다.

④ 온라인투자연계금융업자는 자기가 실행할 연계대출에 자기의 계산으로 연계투자를 할 수 없다. 다만, 다음 각 호의 요건을 모두 갖춘 경우에는 연계대출 모집 미달 금액의 범위 내에서 자기의 계산으로 연계투자를 할 수 있다.

   1. 차입자가 신청한 연계대출 금액의 100분의 80 이하의 범위에서 대통령령으로 정하는 비율 이상 모집될 것

   2. 자기의 계산으로 한 연계투자 잔액이 자기자본의 100분의 100 이하일 것

   3. 온라인투자연계금융업자의 건전성 유지와 이용자 보호 등을 위하여 대통령령으로 정하는 사항을 준수할 것

⑤ 제4항 각 호의 구체적인 산정방식과 세부기준 등은 대통령령으로 정한다.

⑥ 제4항 각 호 외의 부분 단서에 따라 자기의 계산으로 연계투자를 한 온라인투자연계금융업자는 제4항 각 호 외의 부분 단서에 따른 누적 연계투자 금액, 연계투자 잔액, 연계투자의 투자금으로 실행한 연계대출의 연체율 등 연체에 관한 사항 및 자기자본 대비 연계투자 금액 등을 대통령령으로 정하는 방법에 따라 온라인플랫폼에 공시하여야 한다.

⑦ 온라인투자연계금융업자는 연계투자와 해당 연계투자의 투자금으로 실행하는 연계대출의 만기, 금리 및 금액(동일한 연계대출에 연계투자한 투자자들의 투자금을 합산한 금액을 말한다)을 다르게 하여서는 아니 된다. 다만, 이용자 보호 및 건전한 거래질서를 해할 우려가 없는 경우로서 대통령령으로 정하는 경우에는 그러하지 아니하다.

⑧ 온라인투자연계금융업자는 차입자에 관한 정보의 제공, 투자자 모집 및 원리금의 상환 등 업무수행을 할 때 특정한 이용자를 부당하게 우대하거나 차별하여서는 아니 된다.

⑨ 그 밖에 온라인투자연계금융업자는 이용자 보호 및 건전한 거래질서

를 위하여 대통령령으로 정하는 사항을 준수하여야 한다.

제13조(업무) 온라인투자연계금융업자가 할 수 있는 업무는 다음 각 호
의 업무로 제한한다.

1. 제5조에 따라 등록을 한 온라인투자연계금융업
2. 제12조 제4항 각 호 외의 부분 단서에 따라 자기의 계산으로 하는
   연계투자 업무
3. 제34조 제2항에 따른 원리금수취권 양도·양수의 중개 업무
4. 투자자에 대한 정보제공을 목적으로 차입자의 신용상태를 평가하
   여 그 결과를 투자자에게 제공하는 업무
5. 연계대출채권의 관리 및 추심 업무
6. 그 밖에 제1호부터 제5호까지의 규정과 관련된 업무로서 대통령령
   으로 정하는 업무
7. 그 업무를 함께 하여도 이용자 보호 및 건전한 거래질서를 해할
   우려가 없는 업무로서 대통령령으로 정하는 금융업무
8. 온라인투자연계금융업에 부수하는 업무로서 소유하고 있는 인력
   ·자산 또는 설비를 활용하는 업무

제14조(겸영업무·부수업무의 신고 등) ① 온라인투자연계금융업자가
제13조 제7호에 따른 겸영업무를 하려는 경우에는 그 업무를 영위하
고자 하는 날의 7일 전까지 이를 금융위원회에 신고하여야 한다.
② 온라인투자연계금융업자가 제13조 제8호에 따른 부수업무를 하려는
경우에는 그 업무를 영위하고자 하는 날의 7일 전까지 이를 금융위원
회에 신고하여야 한다. 다만, 다음 각 호의 어느 하나에 해당하는 경
우에는 신고를 하지 아니하고 그 부수업무를 할 수 있다.

1. 이용자 보호 및 건전한 거래질서를 해할 우려가 없는 업무로서 금
   융위원회가 정하여 고시하는 업무를 하는 경우
2. 제5항에 따라 공고된 다른 온라인투자연계금융업자와 같은 부수업

무(제3항에 따라 제한명령 또는 시정명령을 받은 부수업무는 제외
한다)를 하려는 경우

③ 금융위원회는 제2항에 따른 부수업무 신고내용이 다음 각 호의 어느
하나에 해당하는 경우에는 그 부수업무의 영위를 제한하거나 시정할
것을 명할 수 있다.

1. 온라인투자연계금융업자의 경영건전성을 저해하는 경우
2. 온라인투자연계금융업의 영위에 따른 이용자 보호에 지장을 초래
하는 경우
3. 금융시장의 안정성을 저해하는 경우
4. 그 밖에 이용자 보호 및 건전한 거래질서 유지를 위하여 필요한
경우로서 대통령령으로 정하는 경우

④ 제3항에 따른 제한명령 또는 시정명령은 그 내용 및 사유가 구체적으
로 기재된 문서로 하여야 한다.

⑤ 금융위원회는 제2항에 따라 신고받은 부수업무 및 제3항에 따라 제
한명령 또는 시정명령을 한 부수업무를 대통령령으로 정하는 방법
및 절차에 따라 인터넷 홈페이지 등에 공고하여야 한다.

제15조(온라인투자연계금융업자의 업무위탁) ① 온라인투자연계금융업
자는 온라인투자연계금융업과 직접적으로 관련된 필수적인 업무로
서 대통령령으로 정하는 업무를 제삼자(대통령령으로 정하는 자는
제외한다)에게 위탁하여서는 아니 된다.

② 온라인투자연계금융업자의 업무위탁의 절차 및 제한, 그 밖에 업무위
탁에 필요한 사항은 금융위원회가 정하여 고시한다.

제16조(회계처리기준) ① 온라인투자연계금융업자는 다음 각 호에 따라
회계처리를 하여야 한다.

1. 온라인투자연계금융업자의 고유재산과 투자자재산, 그 밖에 대통
령령으로 정하는 재산을 명확히 구분하여 회계처리할 것

2. 「주식회사 등의 외부감사에 관한 법률」 제5조에 따른 회계처리기
   준을 따를 것

② 제1항에서 정하지 아니한 회계처리, 계정과목의 종류와 배열순서, 그
   밖에 필요한 사항은 금융위원회가 정하여 고시한다.

제17조(내부통제기준) ① 온라인투자연계금융업자는 법령을 준수하고,
   경영을 건전하게 하며, 이용자를 보호하기 위하여 온라인투자연계금
   융업자의 임직원이 직무를 수행할 때 준수하여야 할 기준 및 절차(이
   하 "내부통제기준"이라 한다)를 마련하여야 한다.

② 온라인투자연계금융업자는 「금융회사의 지배구조에 관한 법률」 제
   26조 제1항 각 호의 요건을 갖춘 준법감시인을 1명 이상 두어야 하며,
   준법감시인은 내부통제기준의 준수여부를 점검하고 내부통제기준을
   위반한 사실을 발견하는 경우에는 이를 감사 또는 감사위원회에 보
   고하여야 한다.

③ 온라인투자연계금융업자의 내부통제기준과 준법감시인에 관하여 필
   요한 사항은 대통령령으로 정한다.

제18조(이해상충의 관리) ① 온라인투자연계금융업자는 온라인투자연계
   금융업자와 이용자 간, 특정 이용자와 다른 이용자 간의 이해상충을
   방지하기 위하여 이해상충이 발생할 가능성을 파악 · 평가하고, 내부
   통제기준으로 정하는 방법 및 절차에 따라 이를 적절히 관리하여야
   한다.

② 온라인투자연계금융업자는 제1항에 따라 이해상충이 발생할 가능성
   을 파악 · 평가한 결과 이해상충이 발생할 가능성이 있다고 인정되는
   경우에는 그 사실을 미리 해당 이용자에게 알려야 하며, 그 이해상충
   이 발생할 가능성을 내부통제기준으로 정하는 방법 및 절차에 따라
   이용자 보호에 문제가 없는 수준으로 낮춘 후 해당 이용자들의 연계
   투자를 받거나 연계대출을 실행하여야 한다.

③ 온라인투자연계금융업자는 제2항에 따라 그 이해상충이 발생할 가능성을 낮추는 것이 곤란하다고 판단되는 경우에는 해당 이용자들의 연계투자를 받거나 연계대출을 실행하여서는 아니 된다.

제19조(광고) ① 온라인투자연계금융업자가 「표시·광고의 공정화에 관한 법률」에 따른 표시 또는 광고(이하 "광고"라 한다)를 하는 경우에는 다음 각 호의 어느 하나에 해당하는 행위를 하여서는 아니 된다.
1. 사실과 다르게 광고하거나 사실을 지나치게 부풀려 광고하는 행위
2. 사실을 은폐하거나 축소하는 방법으로 광고하는 행위
3. 비교대상 및 기준을 분명하게 밝히지 아니하거나 객관적인 근거 없이 유리하다고 광고하는 행위
4. 다른 온라인투자연계금융업자에 관하여 객관적인 근거가 없는 내용으로 광고하여 비방하거나 불리한 사실만을 광고하여 다른 온라인투자연계금융업자를 비방하는 광고행위
5. 원금보장, 확정수익 등 투자자들이 투자원금 및 수익이 보장된다고 오인할 소지가 있는 내용으로 광고하는 행위
6. 그 밖에 건전한 거래질서를 위하여 필요한 경우로서 대통령령으로 정하는 광고행위
② 온라인투자연계금융업자는 명시적으로 사전 동의를 하지 않은 고객에게 방문, 전화, 이메일 전송 등의 방법을 통하여 연계투자 및 연계대출을 광고하여서는 아니 된다.
③ 온라인투자연계금융업자는 연계투자 및 연계대출 광고를 받은 고객이 이를 거부하는 취지의 의사를 표시하였음에도 불구하고 해당 광고를 계속하는 행위를 하여서는 아니 된다. 다만, 이용자 보호 및 건전한 거래질서를 해할 우려가 없는 행위로서 대통령령으로 정하는 행위는 제외한다.
④ 온라인투자연계금융업자는 특정 연계투자 상품 또는 연계투자 조건에 관한 광고를 하는 경우에는 자신의 명칭, 연계투자 상품의 내용,

연계투자에 따른 위험, 그 밖에 대통령령으로 정하는 사항이 포함되도록 하여야 한다. 다만, 다른 매체를 이용하여 광고하는 경우에는 해당 연계투자 상품을 해당 매체의 운영자가 제공하는 것으로 오인하지 않도록 대통령령으로 정하는 사항을 준수하여야 한다.

⑤ 온라인투자연계금융업자는 특정 연계대출 상품 또는 연계대출 조건에 관한 광고를 하는 경우에는 자신의 명칭, 이자율 등 상품의 주요 내용, 과도한 채무의 위험성, 연계대출 이용에 따른 신용등급의 하락 가능성을 알리는 경고문구 및 그 밖에 차입자를 보호하기 위하여 필요한 사항으로서 대통령령으로 정하는 사항이 포함되도록 하여야 한다.

⑥ 그 밖에 광고의 방법 및 절차 등에 관하여 필요한 사항은 대통령령으로 정한다.

제4장 온라인투자연계금융업

제20조(차입자에 대한 정보확인 등) ① 온라인투자연계금융업자는 차입자의 연계대출 정보를 온라인플랫폼에 게시하기 전에 차입자의 소득·재산 및 부채상황 등에 관한 것으로서 대통령령으로 정하는 증명서류 등을 제출받아 그 차입자의 소득·재산 및 부채상황 등 대통령령으로 정하는 내용에 관한 사항을 확인하여야 한다.

② 차입자는 제1항에 따라 온라인투자연계금융업자에게 정보를 제공하거나 증명서류를 제출하는 경우에는 허위의 정보를 제공하거나 허위의 증명서류를 제출하여서는 아니 된다.

③ 온라인투자연계금융업자는 차입자의 소득·재산·부채상황·신용·변제계획 및 담보물건 등을 고려하여 객관적인 변제능력을 초과하는 연계대출을 실행하여서는 아니 된다.

④ 온라인투자연계금융업자는 제1항에 따른 서류 및 정보 등을 차입자의 소득·재산 및 부채상황 등을 확인하기 위한 용도 외의 목적으로

사용하여서는 아니 된다.

제21조(투자자에 대한 정보확인 등) ① 온라인투자연계금융업자는 투자자가 연계투자를 하려는 경우에는 투자자의 본인 확인을 시행하여야 한다.

② 온라인투자연계금융업자는 온라인투자연계금융 이용계약에 따라 투자자의 소득·재산 및 투자경험 등과 관련된 정보의 제공을 투자자에게 요구할 수 있다.

③ 투자자는 온라인투자연계금융업자에게 제1항 및 제2항에 따라 진실한 정보를 제공하여야 한다.

④ 온라인투자연계금융업자는 제2항에 따른 정보를 투자자의 소득·재산 및 투자경험 등을 확인하기 위한 용도 외의 목적으로 사용하여서는 아니 된다.

제22조(투자자에게 제공하는 정보) ① 온라인투자연계금융업자는 투자자에게 다음 각 호에 해당하는 정보를 투자자가 쉽게 이해할 수 있도록 온라인플랫폼을 통하여 제공하여야 한다.

1. 대출예정금액, 대출기간, 대출금리, 상환 일자·일정·금액 등 연계대출의 내용
2. 제20조 제1항에 따라 확인한 차입자에 관한 사항
3. 연계투자에 따른 위험
4. 수수료·수수료율
5. 이자소득에 대한 세금·세율
6. 연계투자 수익률·순수익률
7. 투자자가 수취할 수 있는 예상 수익률
8. 담보가 있는 경우에는 담보가치, 담보가치의 평가방법, 담보설정의 방법 등에 관한 사항
9. 채무불이행 시 추심, 채권매각 등 원리금상환 절차 및 채권추심수

수료 등 관련비용에 관한 사항

10. 연계대출채권 및 차입자 등에 대한 사항에 변경이 있는 경우에는 그 변경된 내용

11. 그 밖에 투자자 보호를 위하여 필요한 정보로서 금융위원회가 정하여 고시하는 사항

② 온라인투자연계금융업자가 대통령령으로 정하는 연계투자 상품에 대하여 제1항에 따라 정보를 제공하려는 경우에는 투자금을 모집하기 전에 대통령령으로 정하는 기간 동안 온라인플랫폼을 통하여 제공하여야 한다.

③ 온라인투자연계금융업자는 투자자가 연계투자의 의사를 표시한 경우에는 제1항에 따라 게시한 내용을 투자자가 이해하였음을 서명(「전자서명법」 제2조에 따른 전자서명을 포함한다), 기명날인, 녹취, 전자우편, 그 밖의 대통령령으로 정하는 방법으로 확인받아야 한다.

④ 온라인투자연계금융업자는 제1항에 따라 연계투자에 관한 정보를 제공하는 경우에는 투자자의 합리적인 투자판단 또는 해당 상품의 가치에 중대한 영향을 미칠 수 있는 사항을 누락하거나 거짓 또는 왜곡된 정보를 제공하여서는 아니 된다.

⑤ 온라인투자연계금융업자는 연계대출의 연체가 발생하는 경우에는 대통령령으로 정하는 기간 안에 그 사유를 확인하여 연체 사실과 그 사유를 투자자에게 통지하고 자신의 온라인플랫폼에 게시하여야 한다.

제23조(연계투자계약의 체결 등) ① 온라인투자연계금융업자는 투자자와 연계투자계약을 체결하는 경우에는 계약의 상대방임을 확인하고 제22조 제1항 각 호의 정보가 포함된 연계투자설명서, 연계투자약관 등 계약서류를 투자자에게 교부하여야 한다.

② 제1항에도 불구하고 계약내용 등을 고려하여 투자자 보호를 해할 우려가 없는 경우로서 다음 각 호의 어느 하나에 해당하는 경우에는 그

계약서류를 교부하지 아니할 수 있다.

1. 투자자가 대통령령으로 정하는 금액 이하의 계속적 · 반복적인 연계투자를 하기 위하여 기본계약(대통령령으로 정하는 사항을 포함하여 연계투자와 관련하여 필요한 사항을 약정한 계약을 말한다)을 체결하고 그 계약내용에 따라 계속적 · 반복적으로 거래를 하는 경우

2. 투자자가 계약서류를 받기를 거부한다는 의사를 표시한 경우

3. 그 밖에 투자자 보호를 해할 우려가 없는 경우로서 금융위원회가 정하여 고시하는 경우

③ 투자자는 투자금 모집이 완료되기 전까지 대통령령으로 정하는 바에 따라 연계투자계약 신청을 철회할 수 있다. 이 경우 온라인투자연계금융업자는 그 투자자의 투자금을 지체 없이 반환하여야 한다.

④ 온라인투자연계금융업자는 투자자와의 연계투자계약과 관련된 자료(「전자문서 및 전자거래 기본법」에 따른 전자문서 또는 전자화문서를 포함한다)를 계약 체결일부터 채무 변제일 이후 5년이 되는 날까지 보관하여야 한다.

제24조(연계대출계약의 체결 등) ① 온라인투자연계금융업자는 차입자와 연계대출계약을 체결하는 경우에는 다음 각 호의 사항이 포함된 계약서를 차입자에게 교부하여야 한다.

1. 온라인투자연계금융업자 및 차입자의 명칭 또는 성명 및 주소 또는 는 소재지

2. 계약일자

3. 대출금액

4. 대출이자율 및 연체이자율

5. 수수료 등 부대비용

6. 변제기간 및 변제방법

7. 손해배상액 또는 강제집행에 관한 약정이 있는 경우에는 그 내용

8. 채무의 조기상환 조건

9. 그 밖에 차입자를 보호하기 위하여 필요한 사항으로서 대통령령으로 정하는 사항

② 온라인투자연계금융업자는 제1항에 따라 연계대출계약을 체결하는 경우에는 제1항 각 호의 사항을 모두 설명하여야 하며, 해당 내용을 차입자가 이해하였음을 서명(「전자서명법」 제2조에 따른 전자서명을 포함한다), 기명날인, 녹취, 전자우편 또는 그 밖의 대통령령으로 정하는 방법으로 확인받아야 한다.

③ 온라인투자연계금융업자는 제1항에 따른 연계대출계약을 체결한 경우에는 그 계약서와 대통령령으로 정하는 계약관계서류에 대한 자료(「전자문서 및 전자거래 기본법」에 따른 전자문서 또는 전자화문서를 포함한다. 이하 이 조에서 같다)를 연계대출계약을 체결한 날부터 채무변제일 이후 5년이 되는 날까지 보관하여야 한다.

④ 연계대출계약을 체결한 자 또는 그 대리인은 온라인투자연계금융업자에게 그 계약서와 대통령령으로 정하는 계약관계서류에 대한 자료의 열람을 요구하거나 채무와 관련된 증명서의 발급을 요구할 수 있다. 이 경우 온라인투자연계금융업자는 정당한 사유 없이 이를 거부하여서는 아니 된다.

제25조(약관의 제 · 개정 등) ① 온라인투자연계금융업자는 이용자의 권익을 보호하여야 하며, 연계투자 및 연계대출과 관련된 약관(이하 "금융약관"이라 한다)을 제정하거나 개정하려는 경우에는 다음 각 호의 사항을 포함하여서는 아니 된다.

1. 이 법 또는 다른 법령에 위반되는 사항

2. 정당한 사유 없이 이용자의 권리를 배제하거나 제한하는 등 부당하게 불리한 사항으로서 금융위원회가 정하는 사항

② 온라인투자연계금융업자는 금융약관을 제정하거나 개정한 경우에는 대통령령으로 정하는 기간 이내에 그 내용을 금융위원회에 보고하고,

온라인플랫폼 등을 이용하여 공시하여야 한다. 다만, 이용자의 권익
이나 의무에 중대한 영향을 미칠 우려가 있는 경우로서 금융위원회
가 정하는 경우에는 온라인투자연계금융업자는 약관의 제정 또는 개
정 전에 미리 금융위원회에 신고하여야 한다.

③ 온라인투자연계금융협회는 건전한 거래질서를 확립하고 불공정한
내용의 금융약관이 통용되는 것을 막기 위하여 연계투자 및 연계대
출과 관련하여 표준이 되는 약관(이하 "표준약관"이라 한다)을 제정
하거나 개정할 수 있다.

④ 온라인투자연계금융협회는 표준약관을 제정하거나 개정하려는 경우
에는 금융위원회에 미리 신고하여야 한다.

⑤ 금융위원회는 제2항에 따라 금융약관의 신고 또는 보고를 받거나 제
4항에 따라 표준약관을 신고받은 경우에는 그 금융약관 또는 표준약
관의 내용을 공정거래위원회에 통보하여야 한다.

⑥ 공정거래위원회는 제5항에 따라 통보받은 금융약관 또는 표준약관의
내용이 「약관의 규제에 관한 법률」 제6조부터 제14조까지의 규정에
위반된다고 인정하면 금융위원회에 그 사실을 통보하고 그 시정에
필요한 조치를 하도록 요청할 수 있으며, 금융위원회는 특별한 사유
가 없으면 이에 따라야 한다.

⑦ 금융위원회는 금융약관 또는 표준약관이 이 법 또는 금융 관련 법령
에 위반되거나 그 밖에 이용자의 이익을 해칠 우려가 있다고 인정하
면 온라인투자연계금융업자 또는 온라인투자연계금융협회에 그 내
용을 구체적으로 적은 서면으로 금융약관 또는 표준약관을 변경할
것을 명령할 수 있다. 금융위원회는 이 변경명령을 하기 전에 공정거
래위원회와 협의하여야 한다.

⑧ 제2항부터 제4항까지의 규정에 따른 금융약관 및 표준약관의 제정
또는 개정에 대한 신고 및 보고의 시기 · 절차, 그 밖에 필요한 사항
은 금융위원회가 정한다.

제26조(투자금 및 상환금의 관리) ① 온라인투자연계금융업자는 투자금 및 상환금(이하 "투자금등"이라 한다)을 고유재산 및 온라인투자연계금융업자가 제12조 제4항 단서에 따라 자기의 계산으로 연계투자한 자금과 구분하여 자금보관 및 관리업무를 적절히 수행할 수 있는 「은행법」에 따른 은행 등 대통령령으로 정하는 공신력 있는 기관(이하 "예치기관"이라 한다)에 예치 또는 신탁하여야 한다.

② 온라인투자연계금융업자는 제1항에 따라 예치기관에 예치 또는 신탁된 투자자의 투자금등이 투자자의 재산이라는 뜻을 밝혀야 한다.

③ 누구든지 제1항에 따라 예치기관에 예치 또는 신탁된 투자금등을 상계·압류(가압류를 포함한다)하지 못하며, 온라인투자연계금융업자는 대통령령으로 정하는 경우 외에는 예치기관에 예치 또는 신탁된 투자금등을 양도하거나 담보로 제공하여서는 아니 된다.

④ 온라인투자연계금융업자는 등록취소, 해산결의, 파산선고 등 대통령령으로 정하는 사유가 발생한 경우에는 제1항에 따라 예치 또는 신탁된 투자금등이 투자자에게 우선하여 지급될 수 있도록 조치하여야 한다.

⑤ 온라인투자연계금융업자가 제12조 제4항 단서에 따라 자기의 계산으로 연계투자 하는 경우에는 해당 자금을 예치기관에 예치 또는 신탁하여야 하고, 온라인투자연계금융업자의 운영자금과 분리하여야 한다.

⑥ 그 밖에 제1항부터 제5항까지의 투자금등의 예치 또는 신탁 등과 관련하여 필요한 사항은 대통령령으로 정한다.

제27조(연계대출채권 등 관리) ① 온라인투자연계금융업자는 연계투자 계약의 조건에 따라 연계대출채권의 원리금 상환, 연계대출채권에 대한 담보 등에 대하여 선량한 관리자의 주의로서 이를 관리하여야 한다.

② 온라인투자연계금융업자는 연계대출채권을 그 외의 자산과 구분하

고 이를 연계대출 상품별로 구분하여 관리하여야 한다.

③ 온라인투자연계금융업자는 연계대출채권의 관리에 관한 장부를 따로 작성하여야 한다.

④ 온라인투자연계금융업자는 등록취소, 해산결의, 파산선고 등 영업중단 등에 대비하여 원리금 상환 배분 업무에 관한 계획 등 이용자 보호에 관한 것으로서 대통령령으로 정하는 사항을 「변호사법」에 따른 법무법인 등 대통령령으로 정하는 외부기관(이하 "수탁기관"이라 한다)에 위탁하는 등 공정하고 투명한 청산업무 처리절차를 마련하여야 한다.

제28조(연계대출채권의 파산절연 등) ① 온라인투자연계금융업자가 파산하거나 회생절차가 개시되는 경우 온라인투자연계금융업자의 연계대출채권은 온라인투자연계금융업자의 파산재단 또는 회생절차의 관리인이 관리 및 처분권한을 가지는 채무자의 재산을 구성하지 아니한다.

② 온라인투자연계금융업자의 연계대출채권은 강제집행, 「채무자 회생 및 파산에 관한 법률」에 따른 보전처분, 중지명령 또는 포괄적 금지명령의 대상이 되지 아니한다. 다만, 투자자 및 제5항 각 호의 권리를 보유하는 자(이하 "우선변제권자"라 한다)의 우선변제를 위하여 강제집행을 하는 경우에는 그러하지 아니하다.

③ 온라인투자연계금융업자에 대하여 기업구조조정 관리절차가 개시된 경우 온라인투자연계금융업자의 연계대출채권은 관리대상이 되는 재산을 구성하지 아니한다.

④ 투자자는 연계대출채권으로부터 제삼자에 우선하여 변제받을 권리(이하 "우선변제권"이라 한다)를 가진다.

⑤ 다음 각 호의 권리를 보유하는 자는 투자자와 동일한 우선변제권을 가진다.

1. 원리금수취권의 상환·유지 및 관리와 연계대출채권의 관리·처

분 및 집행을 위한 비용채권

2. 수탁기관의 보수채권

⑥ 온라인투자연계금융업자에 대한 회생절차 또는 기업구조조정 관리 절차에 따라 채무의 면책·조정·변경이나 그 밖의 제한이 이루어진 경우에도 우선변제권에는 영향을 미치지 아니한다.

⑦ 온라인투자연계금융업자는 연계대출채권의 상환되지 아니한 잔액이 존속하는 한 연계투자계약에서 특별히 정하는 경우를 제외하고는 연계대출채권을 처분하거나 다른 채무에 대한 담보로 제공해서는 아니 되며, 이를 위반한 처분 또는 담보제공은 우선변제권자에 대해서는 효력이 없다.

제29조(연계대출채권추심) 온라인투자연계금융업자는 연계대출에 관한 권리를 직접 추심하거나, 「신용정보의 이용 및 보호에 관한 법률」 제4조 제1항 제3호에 따른 채권추심업을 허가받은 자에게 위탁하여 추심할 수 있다.

제30조(신용정보 및 개인정보의 보호) ① 온라인투자연계금융업자, 중앙기록관리기관 및 온라인투자연계금융협회는 이용자의 개인정보 및 신용정보를 수집·처리할 때 「개인정보 보호법」 및 「신용정보의 이용 및 보호에 관한 법률」 등 관련 법령을 준수하여야 한다.

② 온라인투자연계금융업자는 온라인 정보관리 실태를 금융위원회가 정하는 바에 따라 연 1회 이상 점검한 후 그 결과를 3개월 이내에 금융위원회에 보고하고 온라인플랫폼에 게시하여야 한다.

제31조(손해배상책임) ① 온라인투자연계금융업자는 온라인투자연계금융업을 영위하면서 법령·약관·계약서류(제23조 제1항 및 제24조 제1항에 따라 이용자에게 교부되는 서류를 말한다)에 위반하는 행위를 하거나 그 업무를 소홀히 하여 이용자에게 손해를 발생시킨 경우

에는 그 손해를 배상할 책임이 있다. 다만, 배상의 책임을 질 온라인
투자연계금융업자가 상당한 주의를 하였음을 증명한 경우에는 그러
하지 아니하다.

② 온라인투자연계금융업자가 제1항에 따른 손해배상책임을 지는 경우
로서 관련되는 임원에게도 귀책사유가 있는 경우에는 그 온라인투자
연계금융업자와 관련되는 임원이 연대하여 그 손해를 배상할 책임이
있다.

③ 제1항에 따른 손해액의 추정 등에 관한 사항은 대통령령으로 정한다.

④ 온라인투자연계금융업자는 제1항에 따른 책임을 이행하기 위하여 금
융위원회가 정하는 기준에 따라 보험 또는 공제에 가입하거나 준비
금을 적립하는 등 필요한 조치를 하여야 한다.

제32조(대출한도 및 투자한도) ① 온라인투자연계금융업자는 동일한 차
입자에 대하여 자신이 보유하고 있는 총 연계대출채권 잔액의 100분
의 10 이내에서 대통령령으로 정하는 한도를 초과하는 연계대출을
할 수 없다. 다만, 다음 각 호의 어느 하나에 해당하는 경우에는 그러
하지 아니하다.

1. 온라인투자연계금융업자가 보유하고 있는 총 연계대출채권 잔액
   및 시행하려는 연계대출의 규모가 대통령령으로 정하는 금액 이하
   인 경우

2. 온라인투자연계금융업자가 국가, 지방자치단체 및 대통령령으로
   정하는 공공기관 등이 대통령령으로 정하는 지역개발사업, 사회기
   반시설사업 등을 할 때 직접 필요한 금액을 연계대출 하는 경우

3. 그 밖에 국민생활 안정 등을 위하여 불가피한 경우로서 대통령령
   으로 정하는 경우

② 투자자가 온라인투자연계금융업자를 통하여 연계투자를 할 수 있는
금액은 투자자의 투자목적, 재산상황, 투자경험, 연계투자 상품의 종
류 및 차입자의 특성 등을 고려하여 대통령령으로 구분하여 정한다.

다만, 법인투자자 및 금융상품에 관한 전문성 구비 여부, 소유자산규모 등에 비추어 투자에 따른 위험감수능력이 있는 투자자로서 대통령령으로 정하는 개인전문투자자(이하 "전문투자자"라 한다)에 대하여는 이를 적용하지 아니한다.

③ 온라인투자연계금융업자는 제1항 및 제2항에 따른 차입자의 연계대출한도와 투자자의 연계투자한도가 준수될 수 있도록 대통령령으로 정하는 필요한 조치를 취하여야 한다.

[시행일 : 2021. 5. 1.] 제32조 제2항, 제32조 제3항(연계투자한도를 준수하기 위해 필요한 조치를 하는 경우로 한정한다)

제33조(중앙기록관리기관) ① 온라인투자연계금융업자는 차입자로부터 연계대출 신청을 받거나 투자자로부터 연계투자 신청을 받은 경우(원리금수취권에 대한 양도ㆍ양수의 신청을 받은 경우를 포함한다)에는 신청의 내용, 이용자에 대한 정보 등 대통령령으로 정하는 자료를 지체 없이 중앙기록관리기관(대통령령으로 정하는 바에 따라 온라인투자연계금융업자로부터 이용자에 대한 정보를 제공받아 관리하는 기관을 말한다. 이하 같다)에 제공하여야 한다.

② 온라인투자연계금융업자는 제32조 제3항에 따른 조치를 하기 위하여 필요한 사항을 중앙기록관리기관에 위탁하여야 한다.

③ 중앙기록관리기관은 제1항에 따라 제공받은 자료를 대통령령으로 정하는 방법에 따라 보관ㆍ관리하여야 한다.

④ 중앙기록관리기관은 제1항에 따라 제공받은 자료를 타인에게 제공하여서는 아니 된다. 다만, 자료의 정보주체인 이용자의 동의를 받은 온라인투자연계금융업자, 해당 투자자 본인 또는 해당 차입자 본인에게 제공하는 경우 및 그 밖에 대통령령으로 정하는 경우에는 이를 제공할 수 있다.

⑤ 중앙기록관리기관에 관하여는 제43조부터 제45조까지의 규정을 준용한다. 이 경우 "온라인투자연계금융업자"는 "중앙기록관리기관"

으로 본다.

[시행일 : 2021. 5. 1.] 제33조

제34조(원리금수취권의 양도·양수) ① 투자자는 보유하고 있는 원리금수취권을 양도할 수 없다. 다만, 다음 각 호의 어느 하나에 해당하는 경우에는 원리금수취권을 양도할 수 있다.

1. 전문투자자에게 양도하는 경우

2. 해당 원리금수취권의 투자 손실가능성 및 낮은 유통 가능성 등을 인지하고 있는 자로서 대통령령으로 정하는 자에게 양도하는 경우

② 투자자가 제1항 각 호 외의 부분 단서에 따라 원리금수취권을 양도하거나 양수하는 경우에는 해당 원리금수취권을 제공한 온라인투자연계금융업자의 중개를 통하여야 한다.

③ 온라인투자연계금융업자는 제1항 및 제2항에 따른 사항이 준수될 수 있도록 대통령령으로 정하는 필요한 조치를 취하여야 한다.

제35조(금융기관 등의 연계투자에 관한 특례) ① 「대부업 등의 등록 및 금융이용자 보호에 관한 법률」 제2조 제4호의 여신금융기관과 그 밖에 대통령령으로 정하는 자(온라인투자연계금융업자는 제외한다. 이하 "여신금융기관등"이라 한다)는 연계대출 모집 금액의 100분의 40 이내에서 대통령령으로 정하는 한도를 초과하지 않는 범위 내에서 연계투자를 할 수 있다.

② 온라인투자연계금융업자는 제1항에 따른 여신금융기관등의 연계투자한도가 준수될 수 있도록 대통령령으로 정하는 필요한 조치를 취하여야 한다.

③ 제1항에 따라 연계투자 하는 여신금융기관등은 연계투자를 함에 있어서 그 인가 또는 허가 등을 받은 법령을 준수하여야 한다. 이 경우 여신금융기관등의 연계투자는 그 인가 또는 허가 등을 받은 법령에서 별도로 정하지 않는 경우에 한정하여 차입자에 대한 대출 또는 신

용공여로 본다.

④ 제1항에 따른 여신금융기관등이 연계투자 할 수 있는 연계대출의 유형별 한도 등 세부사항과 그 밖에 여신금융기관등의 연계투자에 관하여 필요한 사항은 대통령령으로 정한다.

제36조(문서 등에 대한 특례) 온라인투자연계금융업자는 제13조 및 제14조에서 정한 업무를 수행할 때 다른 법령에도 불구하고 이 법 또는 관련 법령에 따라 제출, 제공, 수령, 보관, 유지, 교부 등을 하여야 하는 문서 또는 서면자료를 「전자문서 및 전자거래 기본법」 제2조 제1호에 따른 전자문서의 제출, 제공, 수령, 보관, 유지, 교부 등으로 갈음할 수 있고, 이 법 또는 관련 법령에 따라 자필로 적도록 한 사항은 「전자서명법」 제2조 제2호에 따른 전자서명이나 녹취의 방법으로 확인하는 것으로 갈음할 수 있다.

제5장 온라인투자연계금융협회

제37조(온라인투자연계금융협회 설립 등) ① 온라인투자연계금융업의 업무질서를 유지하고, 온라인투자연계금융업의 건전한 발전과 이용자 보호를 위하여 온라인투자연계금융협회(이하 "협회"라 한다)를 설립한다.

② 협회는 법인으로 한다.

③ 협회는 정관으로 정하는 바에 따라 주된 사무소를 두고 필요한 곳에 지회를 둘 수 있다.

④ 협회는 대통령령으로 정하는 바에 따라 주된 사무소의 소재지에서 설립등기를 함으로써 성립한다.

⑤ 이 법에 따른 협회가 아닌 자는 온라인투자연계금융협회 또는 이와 유사한 명칭(대통령령으로 정하는 외국어문자를 포함한다)을 사용하여서는 아니 된다.

제38조(업무) ① 협회는 다음 각 호의 업무를 한다.

1. 이 법 또는 관계 법령을 준수하도록 하기 위한 회원에 대한 지도와 권고

2. 회원 간의 건전한 영업질서 유지 및 이용자 보호를 위한 자율규제 업무

3. 온라인투자연계금융업의 이용자 민원의 상담·처리

4. 표준약관의 제정 및 개정

5. 온라인투자연계금융업자에 대한 공시기준 마련 및 준수 여부 점검 업무

6. 온라인투자연계금융업자의 정보관리 실태 점검에 관한 업무

7. 그 밖에 협회의 목적을 달성하기 위하여 대통령령으로 정하는 업무

② 협회는 업무에 관한 규정을 제정·변경하거나 폐지한 경우에는 지체 없이 금융위원회에 이를 보고하여야 한다.

제39조(정관) ① 협회의 정관에는 다음 각 호의 사항을 기재하여야 한다.

1. 목적

2. 명칭

3. 조직에 관한 사항

4. 사무소에 관한 사항

5. 업무에 관한 사항

6. 회원의 자격 및 권리의무에 관한 사항

7. 회원의 가입, 제명, 그 밖의 제재(회원의 임직원에 대한 제재의 권고를 포함한다)에 관한 사항

8. 회비에 관한 사항

9. 공고의 방법

10. 그 밖에 협회의 운영에 관한 사항으로서 대통령령으로 정하는 사항

② 협회는 정관 중 대통령령으로 정하는 사항을 변경하고자 하는 경우

에는 금융위원회의 승인을 받아야 한다.

제40조(가입 등) ① 온라인투자연계금융업자는 협회에 가입하여야 한다.
② 협회는 온라인투자연계금융업자가 협회에 가입하려는 경우에는 정
    당한 사유 없이 그 가입을 거부하거나 가입에 부당한 조건을 부과하
    여서는 아니 된다.
③ 협회는 회원에게 정관으로 정하는 바에 따라 회비를 징수할 수 있다.

제41조(협회에 대한 감독 등) 협회에 관하여는 제43조부터 제45조까지
    의 규정을 준용한다. 이 경우 "온라인투자연계금융업자"는 "협회"
    로 본다.

제42조(「민법」의 준용) 협회에 대하여 이 법에 특별한 규정이 없으면 「민
    법」 중 사단법인에 관한 규정을 준용한다.

제6장 감독 및 처분

제43조(감독) ① 금융위원회는 온라인투자연계금융업자가 이 법 또는 이
    법에 따른 명령이나 처분을 적절히 준수하는지 여부를 감독하여야
    한다.
② 금융위원회는 제1항에 따른 감독을 위하여 필요한 경우에는 온라인
    투자연계금융업자에 대하여 그 업무 및 재무상태 등에 관한 보고를
    하게 할 수 있다.

제44조(검사) ① 「금융위원회의 설치 등에 관한 법률」에 따라 설립된 금
    융감독원의 원장(이하 "금융감독원장"이라 한다)은 그 소속 직원으
    로 하여금 온라인투자연계금융업자의 업무와 재산상황을 검사하게
    할 수 있다.

② 제1항에 따라 검사를 하는 자는 그 권한을 표시하는 증표를 지니고 이를 관계자에게 내보여야 한다.

③ 금융감독원장은 온라인투자연계금융업자(온라인투자연계금융업자와 계약을 체결하여 온라인투자연계금융업의 전부 또는 일부를 위탁받은 자를 포함한다)에 대하여 검사에 필요한 장부·기록문서와 그 밖의 자료의 제출 또는 관계인의 출석 및 의견의 진술을 요구할 수 있다.

④ 금융감독원장은 「주식회사 등의 외부감사에 관한 법률」에 따라 온라인투자연계금융업자가 선임한 외부 감사인에게 그 온라인투자연계금융업자를 감사한 결과 알게 된 경영의 건전성과 관련되는 정보 및 자료의 제출을 요구할 수 있다.

제45조(금융위원회의 조치명령권) 금융위원회는 온라인투자연계금융업자 또는 그 임직원이 별표 각 호의 어느 하나에 해당하는 경우에는 다음 각 호의 어느 하나에 해당하는 조치를 할 수 있다.

1. 위법행위의 시정명령
2. 기관경고
3. 기관주의
4. 임원의 해임권고·직무정지
5. 직원의 면직 요구
6. 임직원에 대한 주의·경고·문책(問責)의 요구
7. 그 밖에 위법행위를 시정하거나 방지하기 위하여 필요한 조치로서 대통령령으로 정하는 조치

제46조(업무보고서의 제출) 온라인투자연계금융업자는 금융위원회가 정하는 바에 따라 업무 및 경영실적에 관한 보고서를 작성하여 금융위원회에 제출하여야 한다.

제47조(온라인투자연계금융업자 등에 대한 자료제출의 요구 등) 금융위원회는 온라인투자연계금융업자 또는 그의 대주주 및 임직원이 제12조 제1항 및 제4항을 위반한 혐의가 있다고 인정되면 온라인투자연계금융업자 또는 그의 대주주 및 임직원에게 필요한 자료의 제출을 요구할 수 있다.

제48조(권한의 위탁) ① 금융위원회는 온라인투자연계금융업자에 대한 감독의 효율성을 높이기 위하여 필요한 경우에는 이 법에 따른 권한의 일부를 대통령령으로 정하는 바에 따라 금융감독원장에게 위탁할 수 있다.

② 금융위원회는 이용자를 보호하기 위하여 필요하다고 인정하면 제1항에 따른 권한 외의 권한의 일부를 대통령령으로 정하는 바에 따라 협회의 장에게 위탁할 수 있다.

제49조(영업정지 및 등록취소 등) ① 금융위원회는 온라인투자연계금융업자가 다음 각 호의 어느 하나에 해당하면 그 온라인투자연계금융업자에게 대통령령으로 정하는 기준에 따라 6개월 이내의 기간을 정하여 그 영업의 전부 또는 일부의 정지를 명할 수 있다.

1. 제11조 제1항·제2항을 위반하여 수수료 또는 이자를 받은 경우
2. 제11조 제4항을 위반하여 수수료의 부과기준을 정할 때 정당한 사유 없이 이용자들을 차별한 경우
3. 제12조의 온라인투자연계금융업 관련 준수사항을 위반한 경우
4. 제13조의 업무 범위를 위반하여 업무를 영위한 경우
5. 제14조 제3항에 따른 제한명령 또는 시정명령을 위반한 경우
6. 제15조 제1항을 위반하여 업무위탁을 한 경우
7. 제19조를 위반하여 광고를 한 경우
8. 제20조 제1항·제4항을 위반하여 차입자에 관한 정보를 확인하지 아니하거나 용도 외의 목적으로 사용한 경우

9. 제20조 제3항을 위반하여 차입자의 객관적인 변제능력을 초과하는 연계대출을 실행한 경우

10. 제21조 제1항·제4항을 위반하여 투자자의 본인 확인을 시행하지 아니하거나, 투자자에 관한 정보를 용도 외의 목적으로 사용한 경우

11. 제22조에 따른 투자자에 대한 정보 제공 관련 의무를 위반한 경우

12. 제23조 제1항·제4항을 위반하여 투자자에게 계약서류를 교부하지 아니하거나, 연계대출계약 관련 자료를 5년간 보관하지 아니한 경우

13. 제23조 제3항을 위반하여 투자금을 지체 없이 반환하지 아니한 경우

14. 제24조 제1항·제2항에 따른 차입자에 대한 계약서 교부 또는 설명 의무를 위반한 경우

15. 제24조 제3항·제4항을 위반하여 연계대출계약 관련 자료를 5년간 보관하지 아니하거나, 열람 또는 증명서의 발급을 거부한 경우

16. 제26조 제1항·제3항을 위반하여 투자금등을 예치기관에 예치 또는 신탁하지 아니하거나, 예치 또는 신탁된 투자금등을 양도 또는 담보로 제공한 경우

17. 제27조에 따른 연계대출채권 등에 관한 관리 의무를 위반한 경우

18. 제34조 제3항을 위반하여 필요한 조치를 취하지 아니한 경우

19. 제35조 제2항을 위반하여 필요한 조치를 취하지 아니한 경우

20. 제45조(제33조 제5항 및 제41조에서 준용하는 경우를 포함한다)에 따른 명령이나 조치를 위반한 경우

② 금융위원회는 온라인투자연계금융업자가 다음 각 호의 어느 하나에 해당하면 그 온라인투자연계금융업자의 등록을 취소할 수 있다. 다만, 제1호에 해당하면 등록을 취소하여야 한다.

1. 거짓 또는 그 밖의 부정한 방법으로 제5조에 따른 등록을 한 경우

2. 제5조 제1항의 요건을 충족하지 아니한 경우

3. 제5조 제7항에 따른 등록요건의 유지의무를 위반한 경우

4. 온라인투자연계금융업자의 임원이 제6조 제1항에 따른 결격사유에 해당하는 경우

5. 6개월 이상 계속하여 영업실적이 없거나 법인의 합병·파산·폐업 등으로 사실상 영업을 끝낸 경우

6. 제1항에 따른 영업정지 명령을 위반한 경우

7. 제1항에 따라 영업정지 명령을 받고도 그 영업정지 기간 이내에 영업정지 처분 사유를 시정하지 아니하여 동일한 사유로 제1항에 따른 영업정지 처분을 대통령령으로 정하는 횟수 이상 받은 경우

③ 금융위원회는 제2항에 따른 등록취소를 하기 전에 해당 온라인투자연계금융업자에게 청문을 하여야 한다.

제50조(온라인투자연계금융업자에 대한 과징금) ① 금융위원회는 온라인투자연계금융업자가 제32조 제1항을 위반한 경우에는 그 온라인투자연계금융업자에 대하여 한도를 초과한 연계대출 금액의 100분의 30을 초과하지 아니하는 범위에서 과징금을 부과할 수 있다.

② 금융위원회는 온라인투자연계금융업자에 대하여 제49조 제1항에 따른 영업정지 처분이 이용자에게 심한 불편을 주거나 그 밖에 공익을 해할 우려가 있는 경우에는 영업정지 처분에 갈음하여 5천만 원 이하의 과징금을 부과할 수 있다.

③ 금융위원회는 제1항 및 제2항에 따라 과징금을 부과하는 경우에는 다음 각 호의 사항을 고려하여야 한다.

1. 위반행위의 내용 및 정도

2. 위반행위의 기간 및 횟수

3. 위반행위로 인하여 취득한 이익의 규모

④ 과징금의 부과에 관하여 그 밖에 필요한 사항은 대통령령으로 정한다.

제51조(이의신청) ① 제50조에 따른 과징금 부과처분에 불복하는 자는 그 처분을 고지받은 날부터 30일 이내에 그 사유를 갖추어 금융위원회에 이의를 신청할 수 있다.

② 금융위원회는 제1항에 따른 이의신청에 대하여 30일 이내에 결정을 하여야 한다. 다만, 부득이한 사정으로 그 기간에 결정을 할 수 없는 경우에는 30일의 범위에서 그 기간을 연장할 수 있다.

③ 제2항에 따른 결정에 불복하는 자는 행정심판을 청구할 수 있다.

제52조(과징금의 납부기한 연장 및 분할납부) ① 금융위원회는 과징금을 부과받은 자(이하 "과징금납부의무자"라 한다)가 다음 각 호의 어느 하나에 해당하는 사유로 과징금 전액을 한꺼번에 내기 어렵다고 인정될 때에는 그 납부기한을 연장하거나 분할납부하게 할 수 있다. 이 경우 필요하다고 인정하면 담보를 제공하게 할 수 있다.

1. 재해 등으로 재산에 현저한 손실을 입은 경우

2. 사업 여건의 악화로 사업이 중대한 위기에 처한 경우

3. 과징금을 한꺼번에 내면 자금 사정에 현저한 어려움이 예상되는 경우

② 과징금납부의무자가 제1항에 따라 과징금 납부기한을 연장하거나 분할납부를 하려는 경우에는 그 납부기한의 10일 전까지 금융위원회에 신청하여야 한다.

③ 금융위원회는 제1항에 따라 납부기한이 연장되거나 분할납부가 허용된 과징금납부의무자가 다음 각 호의 어느 하나에 해당하게 되면 납부기한 연장 또는 분할납부 결정을 취소하고 과징금을 한꺼번에 징수할 수 있다.

1. 분할납부하기로 결정된 과징금을 납부기한까지 내지 아니하였을 때

2. 담보 변경명령이나 그 밖에 담보보전(擔保保全)에 필요한 금융위원회의 명령을 이행하지 아니하였을 때

3. 강제집행, 경매의 개시, 파산선고, 법인의 해산, 국세 또는 지방세
   의 체납처분을 받은 경우 등 과징금의 전부 또는 잔여분을 징수할
   수 없다고 인정될 때
4. 그 밖에 제1호부터 제3호까지의 규정에 준하는 경우로서 대통령령
   으로 정하는 사유가 있을 때
④ 제1항부터 제3항까지의 규정에 따른 과징금 납부기한의 연장, 분할납
   부 또는 담보 등에 관하여 필요한 사항은 대통령령으로 정한다.

제53조(과징금 징수 및 체납처분) ① 금융위원회는 과징금납부의무자가
   납부기한까지 과징금을 내지 아니하면 납부기한의 다음 날부터 과징
   금을 낸 날의 전날까지의 기간에 대하여 대통령령으로 정하는 가산
   금을 징수할 수 있다.
② 금융위원회는 과징금납부의무자가 납부기한까지 과징금을 내지 아
   니하면 기간을 정하여 독촉을 하고, 그 지정한 기간 이내에 과징금과
   제1항에 따른 가산금을 내지 아니하면 국세 체납처분의 예에 따라 징
   수할 수 있다.
③ 금융위원회는 제1항 및 제2항에 따른 과징금 및 가산금의 징수 또는
   체납처분에 관한 업무를 국세청장에게 위탁할 수 있다.
④ 그 밖에 과징금의 징수에 필요한 사항은 대통령령으로 정한다.

제54조(과오납금의 환급) ① 금융위원회는 과징금납부의무자가 이의신
   청의 재결 또는 법원의 판결 등의 사유로 과징금 과오납금의 환급을
   청구하는 경우에는 지체 없이 환급하여야 하며, 과징금납부의무자의
   청구가 없어도 금융위원회가 확인한 과오납금은 환급하여야 한다.
② 금융위원회가 제1항에 따라 과징금을 환급하는 경우에는 과징금을
   납부한 날부터 환급한 날까지의 기간에 대하여 대통령령으로 정하는
   가산금 이율을 적용하여 환급가산금을 환급받을 자에게 지급하여야
   한다.

제7장 벌칙

제55조(벌칙) ① 다음 각 호의 어느 하나에 해당하는 자는 3년 이하의 징역 또는 1억원 이하의 벌금에 처한다.
  1. 제4조를 위반하여 등록을 하지 아니하고 온라인투자연계금융업을 영위하는 자
  2. 제12조 제1항을 위반하여 연계대출을 한 온라인투자연계금융업자와 그로부터 연계대출을 받은 대주주 및 임직원
  3. 제28조 제7항을 위반하여 연계대출채권을 처분하거나 다른 채무에 대한 담보로 제공한 자
② 다음 각 호의 어느 하나에 해당하는 자는 1년 이하의 징역 또는 3천만원 이하의 벌금에 처한다.
  1. 제8조를 위반하여 유사한 상호를 사용한 자
  2. 제37조 제5항을 위반하여 유사한 명칭을 사용한 자

제56조(양벌규정) 법인의 대표자나 법인 또는 개인의 대리인, 사용인, 그 밖의 종업원이 그 법인 또는 개인의 업무에 관하여 제55조의 위반행위를 하면 그 행위자를 벌하는 외에 그 법인 또는 개인에게도 해당 조문의 벌금형을 과(科)한다. 다만, 법인 또는 개인이 그 위반행위를 방지하기 위하여 해당 업무에 관하여 상당한 주의와 감독을 게을리하지 아니한 경우에는 그러하지 아니한다.

제57조(과태료) ① 다음 각 호의 어느 하나에 해당하는 자에게는 5천만원 이하의 과태료를 부과한다.
  1. 제3조 제1항을 위반하여 변경등록을 하지 아니한 자
  2. 제11조 제1항·제2항을 위반하여 수수료 또는 이자를 받은 자
  3. 제11조 제4항을 위반하여 수수료의 부과기준을 정할 때 정당한 사

유 없이 이용자들을 차별한 자

4. 제12조 제2항부터 제9항까지의 온라인투자연계금융업 관련 준수
   사항을 위반한 자

5. 제13조의 업무 범위를 위반하여 업무를 영위한 자

6. 제22조 제1항·제2항에 따른 정보 제공 의무를 위반한 자

7. 제22조 제3항을 위반하여 투자자가 이해하였음을 서명 등의 방법
   으로 확인받지 아니한 자

8. 제22조 제4항을 위반하여 중대한 사항을 누락하거나 거짓 또는 왜
   곡된 정보를 제공한 자

9. 제22조 제5항을 위반하여 연체사실과 그 사유를 투자자에게 통지
   하지 아니하거나 온라인플랫폼에 게시하지 아니한 자

10. 제25조 제7항에 따른 변경명령을 이행하지 아니한 자

11. 제26조에 따른 투자금등에 관한 관리 의무를 위반한 자

12. 제27조에 따른 연계대출채권 등에 관한 관리 의무를 위반한 자

13. 제32조 제3항을 위반하여 한도 준수에 필요한 조치를 취하지 아
    니한 자

14. 제34조 제1항·제2항을 위반하여 원리금수취권을 양도한 자

15. 제34조 제3항을 위반하여 필요한 조치를 취하지 아니한 자

16. 제35조 제1항을 위반하여 연계투자를 한 자

17. 제35조 제2항을 위반하여 필요한 조치를 취하지 아니한 자

18. 제40조 제1항을 위반하여 협회에 가입을 하지 아니한 자

19. 제40조 제2항을 위반하여 정당한 사유 없이 가입을 거부하거나
    가입에 부당한 조건을 부과한 자

20. 제44조(제33조 제5항 및 제41조에서 준용하는 경우를 포함한다)
    에 따른 검사를 거부·방해 또는 기피한 자

21. 제44조 제3항(제33조 제5항 및 제41조에서 준용하는 경우를 포함
    한다)을 위반하여 자료의 제출 또는 관계인의 출석 및 의견 진술
    요구에 따르지 아니한 자

② 다음 각 호의 어느 하나에 해당하는 자에게는 3천만 원 이하의 과태료를 부과한다.

1. 제9조 제1항·제2항을 위반하여 이용자의 이익을 보호하지 아니하거나, 이용자의 이익을 해하면서 자기 또는 제삼자가 이익을 얻도록 하는 자
2. 제10조 제1항에 따른 공시 의무를 위반한 자
3. 제11조 제3항을 위반하여 수수료의 부과기준을 정하지 아니하거나, 온라인플랫폼에 공시하지 아니한 자
4. 제14조 제1항·제2항을 위반하여 신고를 하지 아니한 자
5. 제15조 제1항을 위반하여 업무위탁을 한 자
6. 제16조 제1항을 위반하여 회계처리를 한 자
7. 제17조 제1항·제2항을 위반하여 내부통제기준을 마련하지 아니하거나, 준법감시인을 선임하지 아니한 자
8. 제17조 제2항에 따라 선임된 준법감시인으로서 내부통제기준 준수 여부를 점검하지 않거나, 내부통제기준을 위반한 사실을 발견한 경우에도 감사 또는 감사위원회에 보고하지 아니한 자
9. 제18조에 따른 이해상충 관리에 관한 의무를 위반한 자
10. 제19조를 위반하여 광고를 한 자
11. 제20조 제1항을 위반하여 차입자에 관한 정보를 확인하지 아니한 자
12. 제20조 제3항을 위반하여 차입자의 객관적인 변제능력을 초과하는 연계대출을 실행한 자
13. 제20조 제4항을 위반하여 차입자에 관한 정보를 용도 외의 목적으로 사용한 자
14. 제21조 제1항을 위반하여 투자자의 본인 확인을 시행하지 아니한 자
15. 제21조 제4항을 위반하여 투자자에 관한 정보를 용도 외의 목적으로 사용한 자
16. 제23조 제1항에 따른 투자자에 대한 계약서류 교부 의무를 위반

한 자

17. 제23조 제3항을 위반하여 투자금을 지체 없이 반환하지 아니한 자

18. 제23조 제4항을 위반하여 연계투자계약 관련 자료를 5년간 보관
하지 아니한 자

19. 제24조 제1항에 따른 차입자에 대한 계약서 교부 의무를 위반한 자

20. 제24조 제2항에 따른 차입자에 대한 설명 의무를 위반한 자

21. 제24조 제3항을 위반하여 연계대출계약 관련 자료를 5년간 보관
하지 아니한 자

22. 제24조 제4항을 위반하여 정당한 사유 없이 연계대출계약 관련
자료의 열람 또는 증명서의 발급을 거부한 자

23. 제25조 제2항을 위반하여 보고, 공시 또는 신고를 하지 아니한 자

24. 제25조 제4항을 위반하여 신고를 하지 아니한 자

25. 제30조 제2항에 따른 온라인 정보관리 실태 점검 및 보고 의무를
위반한 자

26. 제31조 제4항을 위반하여 손해배상책임을 이행하기 위하여 필요
한 조치를 하지 아니한 자

27. 제33조 제1항을 위반하여 중앙기록관리기관에 이용자에 관한 정
보 등을 제공하지 아니한 자

28. 제33조 제2항을 위반하여 제32조 제3항에 따른 조치에 필요한 사
항을 중앙기록관리기관에 위탁하지 아니한 자

29. 제33조 제3항·제4항을 위반하여 이용자에 대한 자료를 보관·관
리하지 아니하거나, 타인에게 제공한 자

30. 제43조 제2항(제33조 제5항 및 제41조에서 준용하는 경우를 포함
한다)을 위반하여 보고 요구에 따르지 아니한 자

31. 제46조를 위반하여 보고서를 제출하지 아니하거나 보고를 하지
아니한 자(거짓의 보고서를 제출하거나 거짓으로 보고한 자를 포
함한다)

32. 제47조를 위반하여 자료제출 요구에 따르지 아니한 자

③ 제1항 및 제2항의 과태료는 대통령령으로 정하는 바에 따라 금융위원회가 부과·징수한다.

부 칙 〈법률 제16656호, 2019. 11. 26.〉

제1조(시행일) 이 법은 공포 후 9개월이 경과한 날부터 시행한다. 다만, 제32조, 제33조 및 제37조부터 제42조까지의 규정은 공포 후 1년 6개월을 넘지 아니하는 범위에서 대통령령으로 정하는 날부터 시행한다.

제2조(일반적 적용례) 이 법은 이 법 시행 후 온라인투자연계금융업자가 체결하는 연계투자계약 및 연계대출계약부터 적용한다.

제3조(임원의 자격요건에 관한 적용례) 제6조의 규정은 이 법 시행 후 최초로 선임(연임을 포함한다)되는 임원부터 적용한다.

제4조(온라인투자연계금융업 등록에 관한 경과조치) ① 온라인투자연계금융업에 준하는 업무(이하 "온라인투자연계금융업등"이라 한다)를 영위하는 자(「대부업 등의 등록 및 금융이용자 보호에 관한 법률」 제3조 제2항 제6호에 해당하는 자를 포함한다. 이하 같다)는 이 법 시행 이후 1년 이내에 금융위원회에 등록하여야 한다.
② 이 법 시행 당시 온라인투자연계금융업등을 영위하는 자에 대하여는 제1항에 따른 등록을 마치는 날까지 이 법을 적용하지 아니한다.

제5조(온라인투자연계금융업 등록 특례) 이 법 공포 당시 온라인투자연계금융업등을 영위하는 자는 제5조의 등록요건을 갖추어 이 법 공포 후 7개월이 경과한 날부터 금융위원회에 등록을 신청할 수 있다.

제6조(임원의 자격요건 변경에 따른 경과조치) 이 법 시행 당시 재임 중

인 임원의 자격요건에 관하여는 제6조의 규정에도 불구하고 그 임기가 만료되는 날까지는 종전의 규정에 따른다.

제7조(벌칙 등에 관한 경과조치) ① 이 법 시행 전의 행위에 대하여 벌칙 또는 과태료를 적용할 때에는 종전의 규정에 따른다.
② 이 법 시행 전의 행위에 대하여 과징금의 부과처분, 그 밖의 행정처분을 적용할 때에는 종전의 규정에 따른다.

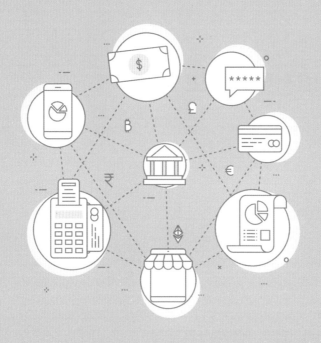

제 **2** 편

인터넷전문은행

01

인터넷전문은행의
서막

⚙ 카카오뱅크, 케이뱅크의 출범

2015년 우리나라는 23년만에 새로운 은행 2개를 준비하게 된다. 2015년 연말 금융위원회가 인터넷전문은행으로 예비인가를 내 준 카카오뱅크와 케이뱅크가 그것이다. 이들 외에도 키움증권과 인터파크가 주축이 된 컨소시엄도 인터넷전문은행 예비인가를 신청하였으나 승인받지는 못하였다. 1992년 평화은행이 마지막으로 은행업 인가를 받은 이후 우리나라에는 1금융권 은행이 단 한 곳도 새로 생겨나지 못하고 있다가 핀테크의 돌풍 속에 카카오와 KT가 주축이 된 2개의 은행이 새롭게 탄생하게 된 것이다. 금융위원회는 기존 은행법상의 1,000억 원 이상(지방은행의 경우 250억 원)의 자본금 요건도 500억 원으로 낮추고, 인터넷전문은행에 한하여 은산분리도

50%로 완화하겠다는 발표와 함께 인터넷전문은행 2곳에 대한 예비인가를 승인하였다.

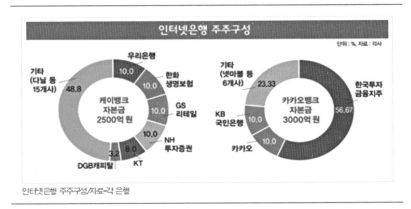

인터넷은행 주주구성/자료=각 은행

[2017. 8. 14.자 머니투데이 방송]

◎ 은산분리 제도

은행 이름만 들어서는 카카오와 KT가 대부분의 주식을 가진 회사인 것으로 생각하기 쉬우나, 위 그래프에서 보는 바와 같이 이들 컨소시엄 구성을 자세히 살펴보면 아쉽게도 카카오뱅크의 경우 한국투자금융지주, KB 국민은행 등 기존 금융회사는 물론이고 넷마블, 로엔, SGI 서울보증, 우정사업본부, 이베이, 예스 24, 코나아이, 텐센트 등 총 11개의 회사가, 케이뱅크의 경우에도 우리은행, NH투자증권, 포스코 ICT, GS리테일, 한화생명, KG이니시스, KG모빌리언스, 다날, 8퍼센트, 한국관광공사 등을 포함한 20개의 회사가 참여하였다. 이는 금융업에 대한 이해가 부족한 카카오와 KT가 기존 금융업자의 도움을 받음으로써 사업을 조기에 안정화하기 위한 목적도 있었겠지만, 과거 은산분리 규제 영향이 컸다. 은행법은 비금융회사의 자본총액이 전체 자본의 25% 이상이거나 비금융회사의 자산 합계가 2조 원 이상에 해당하는 비금융주력자는 은행의 의결권 있는 주식을 원칙적으로 4%까지만 보유할 수 있고, 금융위원회의 승인을 받는 경우에도 최대 10%까지 보유하되 그중 4% 초과분에 대해서는 의결권을 행사하지 못하도록 규제하고 있었다. 컨소시엄들은 이와 같은 법규를 피하기 위해 지분 참여자를 다양화하였을 뿐만 아니라 무의결권부 전환주식을 발행하였다가 금융위원회가 약속한 대로 은산분리를 50%까지 허용해주면 전환권을 행사하기로 하는 복안을 펼치기도 하였다. 결국 IT기업이 주도하는 새로운 은행의 탄생 서막은 이와 같은 금융 규제에 관한 현행법으로 인하여 우리의 기대와는 다른 방향으로 조금은 왜곡되고 말았다.

시중 은행 인터넷뱅킹 이용률이 80%를 넘고 있는 상황에서 국내 인터넷전문은행들이 어떻게 자신들의 사업을 차별화할 것인지, 필자는 인터넷전문은행이 업무를 시작하기 전부터 매우 궁금하였다. 지분 쪼개기로 인하여 카카오와 KT가 자신들의 의사대로 인터넷전문은행을 끌고 갈 수 있을 지 의문스러워 하면서도, 다른 한편으로는 이들 컨소시엄에 신용평가회사, P2P 금융회사, 모바일 결제회사, PG사, 인터넷서점 등 다양한 회사들이 포함되어 있는 만큼 이들은 기존의 은행들과는 다른 참신한 아이디어로 자신들의 장점을 살린 독특하고 기발한 상품들을 내놓지 않을까 많은 기대를 하였다. 또한 이것이 정부가 은행업 진출이라는 뱃지를 달아주면서 이들에게 기대한 역할이었을 것이다.

02

인터넷전문은행의 본격적인 영업과 성과

⚙ 인터넷전문은행의 새로운 서비스

첫 스타트는 케이뱅크가 끊었다. 2017. 4. 24년 만에 새로 탄생한 은행이 첫 서비스를 시작하였다. 케이뱅크는 서비스를 시작한 지 한 달여 만에 가입자 수가 25만 명에 이르고 예·적금 규모가 3,000억 원, 대출 금액이 2,000억 원에 이를 정도로 빠르게 성장하였다. 특히 24시간 영업을 강점으로 내세워 2017. 5. 징검다리 연휴 동안 빛을 발했고, 연 2%의 이자를 주는 정기예금 상품 또한 상당한 인기를 끌었다.

2017. 7.에는 카카오뱅크가 문을 열었다. 영업개시 3주만에 카카오뱅크는 계좌 200만개를 돌파하고 1조원에 가까운 예·적금을 끌어모으는 등 돌풍을 일으켰다. 카카오뱅크보다 약 4개월 전에 영업을 시작한 국내 1호 인터넷전문은행 케이뱅크를 훨씬 뛰어 넘는 실적이었다. 필자 또한 카카오뱅크에 가입하여 계좌송금 및 스마트 출금

등의 서비스를 이용해 보았는데 기존의 서비스와는 차별화된 서비스에 아주 만족스러웠다.

다른 사람에게 돈을 송금하기 위해 지금까지는 반드시 상대방 은행 계좌번호를 확인하여야 하는 번거로움이 있었지만, 카카오뱅크의 송금서비스의 경우 카카오톡 상의 송금 상대방을 클릭하기만 하면 그 사람에게 바로 송금이 이루어졌다. 만일 그 상대방이 카카오뱅크에 계좌를 가지고 있다면 카카오뱅크 계좌에 바로 입금도 가능하였다. 카카오뱅크 계좌가 아직 없다면 문자를 통해 송금이 된 사실을 알리고 송금된 금원을 어디로 입금할 것인지를 물어보는 창이 뜨게 되며, 이용자는 자신의 은행계좌를 입력함으로써 자신의 기존 계좌로 돈이 입금받을 수도 있다. 소액의 금원을 정산 또는 선물 등의 용도로 누군가에게 보내려고 할 때, 상대방은 그 돈을 받기 쑥스러워 자신의 계좌번호 알려주기를 꺼리는 경우가 많다.

이와 같은 현상은 더치페이에 익숙하지 않은 우리나라 고유한 문화에 기인한 것이기는 하지만, 어쨌거나 이 서비스가 사람들의 불필요한 고민을 덜어주고 편의를 제공해 주었다는 점에서 매우 의미가 있다고 생각한다. 이후로 카카오뱅크는 여러 명의 사용자가 계좌를 공동으로 관리하고 거래내역도 바로 확인할 수 있는 모임통장도 선보였다. 모임에서 한 번쯤 총무를 해 본 사람이라면 누구나 느꼈을 고충인 회비 납부 독촉, 회비의 사용 내역 및 잔고 통지 등의 문제가 한꺼번에 해결되었다.

또한 스마트인출 기능 또한 아주 편리한 방식이었다. 가까운 CU

편의점에 설치된 ATM기에 자신의 휴대전화기에 찍힌 고유 인증번호를 입력하기만 하면 통장이나 카드 없이도 별도의 수수료 없이 24시간 현금 출금이 가능하다. 필자는 카카오뱅크가 영업을 개시한 지 얼마 되지 않은 시점에 이 서비스를 체험해 보기 위해 12시가 다 된 늦은 시간에 퇴근하면서 필자가 근무하는 삼성역 인근 CU 편의점에 들르기도 하였다.

처음에 들른 CU편의점에서는 아직 해당 ATM기가 도입되지 않아 길 건너 오크우드 호텔 주변의 CU편의점까지 찾아가기도 하였다. 이 또한 지금까지 경험해보지 못한 편리함이었다. 어쩌면 은행지점 ATM기가 한 블록마다 한 개씩 경쟁적으로 설치되어 있는 서울 업무 중심 지구에 근무하는 사람들은 이것이 왜 편리한지 이해하기 힘들지도 모른다.

하지만 법무관으로 시골에서 근무해 본 경험이 있는 필자는 은행 ATM기를 찾아가기 위해서는 차를 몰고 멀리 나가야 하는 경우도 많이 있으나 편의점을 찾는 일은 상대적으로 훨씬 쉽다는 것을 누구보다 잘 알기 때문에 편의점을 이용한 현금출금 서비스가 전체 국민들에게 많은 편익을 가져다 준 것으로 평가한다.

⚙ 인터넷전문은행이 가져온 변화

이와 같이 케이뱅크와 카카오뱅크가 당초 예상을 훨씬 뛰어넘는 선전을 보이자 사실상의 직접 경쟁자라고 할 수 있는 저축은행이나 증권사 등 제2금융권은 물론이고, P2P 대출업체, 은행권도 전체적으로 서비스 개선에 박차를 가하게 되었다.

2017. 4. 27. 금융위원회에서 내놓은 보도자료에 따르면 제1금융권인 은행에서도 연 2%대 예·적금 특판 상품을 출시함과 동시에 모바일 채널을 확대하는 한편 오프라인 점포는 축소하는 전략을 펼치고 있으며, 저축은행과 P2P 대출업체는 인터넷전문은행의 중금리 대출시장 공략을 방어하기 위하여 대출금리를 낮추는 등의 대책을 내놓았으며, P2P 대출 업체 중 일부는 타 금융회사에서 더 낮은 대출이 가능하면 이를 보상해 주는 '최저금리보상제'를 시행하기도 한 것으로 나타났다.

증권회사들 또한 비대면 개좌개설 후 거래 고객에게 지원금을 제공하거나 거래수수료를 면제하는 등 비대면 거래 활성화 방안을 내놓았다.

외화송금에서도 변화가 일어났다. 카카오뱅크는 2017. 7. 사업 시작과 동시에 외화송금 전신료와 중개수수료, 수취수수료를 면제해 5,000달러 이하 송금시 5,000원, 5,000달러 초과시에는 1만 원의 수수료를 받는 외화송금 서비스를 제공하기 시작하였다. 이후 2018. 4.에는 케이뱅크도 해외송금 서비스를 출시하였다.

이는 기존 은행들의 외화송금 수수료의 1/5에서 1/10 수준이었고, 결국 시중은행들도 환율우대폭을 확대하고 외화송금 수수료를 인하하는 등 적극적으로 대응하면서 소비자가 부담하는 해외송금 서비스 수수료가 대폭 인하되었다.

필자가 2012년 미국 유학 당시 국내 모 시중은행의 미국지점에 들러 국내 계좌에 있는 돈을 인출하려 한 적이 있는데, 금융정보가 국내와 공유되고 있지 않다는 이유로 어쩔 수 없이 미국 BOA(Bank Of America)은행계좌로 먼저 돈을 이체한 뒤 이를 다시 인출하는 절차를 매번 거쳐야 했고, 송금할 때마다 몇 만 원의 송금 수수료를 부담하였을 뿐만 아니라 서로 다른 국가 은행 간 송금이다 보니 송금 확인에만 며칠을 기다려야 하는 불편을 겪었던 것을 생각하면 격세지감이 아닐 수 없었다.

기존 은행은 외화송금 서비스 제공의 독점적 지위를 이용하여 과도한 수수료를 물려 왔으며 고액의 수수료를 인하해 줄 이유도 없었는데, 인터넷전문은행의 등장으로 이와 같은 태도에도 변화가 생긴 것이다. 이어 2018. 9. 27. 정부는 '혁신 성장과 수요자 중심 외환제도 · 감독체계 개선방안'을 발표하면서 은행이나 소액 해외송금업체를 통해야 가능했던 해외송금이 증권사나 카드사를 통해서도 연간 30,000달러(건당 3,000달러)까지 가능하도록 하겠다고 공표하면서, 이에 외화송금은 증권사나 카드사를 통해서도 가능해질 것으로 보인다. 경쟁이 보다 치열해지면서 외화송금과 관련한 금융소비자들의 선택의 폭은 보다 넓어졌다.

이외에도 인터넷전문은행이 시중은행에 미친 영향으로는 ① 비대면 금융시대(1년 새 모바일·인터넷 대출 건수가 약 300% 이상 증가), ② 모바일 퍼스트(앱 서비스 대폭 강화, AI 상담원까지 등장), ③ 조직 슬림화(한 해 7,600명을 감축하는 등으로 다이아몬드 구조 문제를 해소), ④ 금리 경쟁 촉발 등을 들 수 있다.

이처럼 인터넷전문은행이라는 새로운 플레이어의 등장으로 금융 소비자들의 선택의 폭은 넓어지고, 업체 간 경쟁으로 인한 다양한 혜택이 소비자에게 돌아가게 된 것이다. 인터넷전문은행이 기존 금융시장의 메기역할을 한 것은 분명한 사실이다.

03

예견되었던
암초에 좌초 위기

⚙ 운영초기 발생한 문제점

하지만, 이와 같은 초반 돌풍에도 불구하고 인터넷전문은행이 초반부터 순조롭게 시작한 것은 아니었다. 일단 비대면 방식의 대출신청이 폭주하면서 휴대전화 앱 상의 대출신청서비스는 먹통이었고, 대출신청·계좌개설 등에 관한 각종 문의에 대응해 줄 고객센터도 제대로 연결이 되지 않았다. 또한 카카오 캐릭터가 그려진 이쁜 디자인으로 인해 폭발적인 인기를 끌었던 체크카드 발급도 한 달 이상 지연되었다.

게다가 CU편의점 중 일부만 ATM기 설치가 완료된 상황이라 앞서 말한 바와 같이 업무중심지구에 근무하는 필자도 스마트인출 기능을 경험해 보기 위해 여러 CU편의점을 돌아다녀야 했을 정도이다. 하지만 이와 같은 불편함은 당초 예상을 훨씬 뛰어 넘는 인기로 인한 일시적인 현상이었으며, 인력 충원 및 추가 투자를 통해 어느 정도 해결되었다.

문제는 이와 같은 기초 서비스에 대한 것이 아니라 자본 부족으로 대출이 더 이상 곤란하게 되었다는 점이다. 은행은 국제결제은행(BIS)이 정한 자기자본비율을 준수해야 하기 때문에 대출 상품을 판매하기 위해서는 그에 상응하는 자본을 갖추어야 한다. 하지만, 케이뱅크는 자본금 2,500억 원, 카카오뱅크는 자본금 3,000억 원으로 시작했는데 이는 전국 단위의 은행으로서 차별화된 서비스를 제공하기에는 턱없이 부족한 돈이다.

이후 2018. 10. 기준 카카오뱅크는 1조 3,000억 원까지 증자에 성공했으나 케이뱅크는 3,800억 원으로 증자 이후 증자에 어려움을 겪었다. 결국 자본이 없다 보니 은행 서비스의 기본이라고 할 수 있는 대출업무도 제대로 이루어지지 못하게 된 것이다. 은행은 국민의 주요 신용정보를 보유하고 있기 때문에 보안이 무엇보다 중요하며 이에 막대한 인력과 투자가 필요하다.

그 외에도 1초라도 서비스가 중단되면 안 되기 때문에 컴퓨터 시스템에 대한 시설투자도 그에 못지않게 중요하다. 인터넷전문은행은 지점을 두고 있지 않기 때문에 지점 설치와 관련한 운영비 및 인건비는 들지 않지만 이를 인터넷으로 대신하는 만큼 소프트웨어 개

발 및 유지에 대한 비용이 많이 발생한다. 무엇보다도 인터넷전문은
행이 기존 은행과 차별화할 수 있는 서비스를 제공하기 위해서는 IT
나 빅데이터 등을 활용한 다양한 연구개발 시도가 필요하다.

이처럼 새로운 서비스 개발 및 인프라 확충 등을 위해서는 많은
돈이 추가로 투자되어야 한다. 그럼에도 불구하고 현실은 이와 같은
신규 투자는 고사하고 자본금 부족으로 은행의 기본 업무인 대출업
무조차 원활하게 운영하지 못하는 상황에 이르게 된 것이다.

⚙ 은산분리 규제 완화의 필요성

이와 같은 문제를 해결하기 위해서는 증자가 필수적인데 앞서 본
바와 같이 성격을 달리하는 다양한 주주들이 의견을 모아 동일한 비
율로 증자하기로 의결하는 것은 쉽지 않았고, 이와 같은 다양한 주
주구성을 계속 유지하는 것은 창의성·혁신성을 갖춘 ICT 업체가
주도하는 인터넷 기반의 은행이라는 인터넷전문은행의 당초 취지에
도 부합하지 않았다.

이에 앞서 말한 은행법상의 은산분리 규제 완화에 대한 목소리가
높아지게 된 것이다. 물론 이와 같은 은산분리 규제 완화는 갑작스
럽게 나온 것은 아니다. 2015. 6. 18.자 금융위원회·금융감독원 공동
보도자료에서 "일반 은행 전반에 대해 은산분리를 완화하는 것은 불
필요하게 소모적인 논쟁만을 야기할 가능성이 크므로 인터넷전문은
행에 한하여 규제 완화하는 방향을 추진할 계획이며, 비금융주력자

의 은행 지분 보유한도를 인터넷전문은행에 한하여 현재 4%에서 50%까지 상향 조정하는 것을 추진 중이다. 인터넷전문은행은 대면 영업을 하지 않는 특성상 거액의 법인 대출을 활발히 할 수 없으므로 산업자본의 사금고화 가능성도 낮다"라고 이미 명시적으로 그 추진 의사를 표명한 바도 있으므로 인터넷전문은행에 참여하는 기업들 사이에서는 이와 같은 은산분리 규제 완화에 대한 신뢰가 형성되어 있었다고 볼 수 있었다.

IT·금융 융합 및 신성장동력 창출을 위한
인터넷전문은행 도입방안

나. 추진 방안

◆ 은산분리 제도의 큰 틀을 유지하되, 인터넷전문은행의 특성, 성공가능성, 외국사례 등을 감안하여 인터넷전문은행에 한해서만 일부 완화
　○ 비금융주력자의 은행 지분 보유한도를 인터넷전문은행에 한하여 상향 조정 : 4% → 50%(단, 상호출자제한기업집단은 제외)

□ 일반은행 전반에 대해 은산분리를 완화하는 것은 불필요하게 소모적 논쟁만을 야기할 가능성이 크므로 인터넷전문은행에 한하여 규제 완화
　○ 인터넷전문은행은 대면영업을 하지 않는 특성상 거액의 법인대출을 활발히 할 수 없으므로 산업자본의 사금고화 가능성도 낮음

금융위원회·금융감독원 2015.6.18.자 보도자료

2017. 8. 27. 정부는 금융분야 전반에 대해 전문성과 개혁성을 갖춘 각계의 민간전문가 13인으로 구성된 금융행정혁신위원회를 출범시켜 금융행정 관련 업무 전반을 점검하도록 미션을 부여하였으며,

위와 같이 경영 위기에 빠진 인터넷전문은행과 관련한 은산분리 완화도 그 검토 항목 중에 하나였다. 그러나 2017. 12. 20. 금융행정혁신위원회는 "케이뱅크가 인가 과정에서 특혜 논란에 휘말리고 아울러 자본금 부족 문제 등의 우려가 있는 상황에서 케이뱅크가 은산분리 완화 등에 기대지 말고 자체적으로 국민이 납득할만한 발전방안을 제시하게 하도록 권고한다. 혁신위는 현 시점에서 은산분리 완화가 한국 금융발전의 필요조건으로 보고 있지는 않으며, 국회 및 각계의 다양한 의견을 토대로 은산분리 규제 완화의 득과 실을 심도 있게 검토하기를 권고한다. 아울러 인터넷 전문은행과 핀테크를 동일시하지 않도록 권고한다"라는 검토 의견을 내면서 은산분리 규제 완화는 물 건너가는 듯 했다.

04

은산분리 완화에 관한
찬반논의

　하지만 이후에도 인터넷전문은행에 대한 은산분리 완화에 대한 찬반논의는 끊이지 않고 계속되었다. 국회, 학회 등에서 이와 관련한 많은 논의들이 이어졌고 필자 또한 금융ICT융합학회, 한국증권법학회, 아시아경제포럼, 채널A포럼 등 다양한 곳에서 은산분리 완화를 허용해야 한다는 입장을 표명했다.

　이 중 2018. 5. 17.자 매일경제 이슈토론에서 주장하였던 내용을 원문 그대로 인용하기로 한다.

　「카카오뱅크의 최초 자본금은 3,000억 원, 케이뱅크의 최초 자본금은 2,500억 원으로 이는 전국 단위의 은행으로서 차별화된 서비스를 제공하기에는 턱없이 부족한 돈이다. 이에 이들은 최근 증자를 위한 절차를 진행 중에 있다. 하지만, 금융지주사인 한국투자금융지주가 50%의 지분을 가지고 있는 카카오뱅크의 경우 사정이 좀 낫다고는 해도 두 회사 모두 증자에 많은 어려움을 겪고 있다. 이와 같은 문제를 해소하기 위해서는 은행법 상의 은산분리 규제를 완화하는 것이 필수적이다.」

은산분리 유지를 주장하는 근거는 산업자본이 은행을 소유하는 경우 은행을 사금고화할 우려가 있고, 기업부실이 은행으로 전이될 위험이 높다는 것이다. 은산분리 제도가 처음 도입된 1960년대와 현재의 우리나라는 전혀 다르다. KT그룹만 하더라도 2016년 기준 자본금이 1조 5,000억 원에 이르고, 매출액은 17조 원 가량이며 한 해 영업이익만 1조 4,000억 원에 이르고 있다. 자본금 2,500억 원에 불과한 인터넷은행을 사금고로 쓰기에는 기업의 규모가 너무나 커졌다.

그리고 과거에는 은행 대출이 기업자금 조달의 유일한 창구였다면, 최근에는 주식, 회사채, 기업어음(CP) 발행 등 다양한 방식으로 자금을 조달할 수 있는 자본시장이 열려 있다. 게다가 「특정경제범죄 가중처벌 등에 관한 법률」은 업무상 배임행위로 인하여 50억 원 이상의 이득을 취한 경우 무기 또는 5년 이상의 징역형으로 엄벌하고 있다. 시중에 유동자금이 널려 있는데 관계 은행으로부터 부당한 대출을 받음으로써 위와 같은 중형을 감수하는 기업이나 기업가가 얼마나 있을지 의문스럽다.

나아가 위와 같은 부작용에 대한 우려가 있다면 무조건적으로 막을 것이 아니라 부작용을 최소화할 수 있는 방안을 제시하는 것이 바람직하다. 현재 국회에는 여러 건의 '인터넷전문은행' 관련 법안이 계류 중에 있다. 이들 법안은 비금융주력자의 의결권 있는 주식 보유 비율을 34~50%로 늘리는 내용의 은산분리 완화규정을 공통적으로 두고 있으면서도, 은행의 사금고화를 방지하기 위해 대주주에 대한 신용공여를 금지하고 대주주가 발행한 지분증권 취득을 금하는 내용 또한 포함하고 있다.

부당한 대출이나 전횡적 운영은 엄벌의 대상일 뿐이다. 이를 우려해 은산분리 완화를 허용할 수 없다는 것은 너무나 행정 편의적이고 규제 중심적인 생각이다. 운영에 관한 모니터링 강화를 통해 위험을 사전에 차단하고 불법행위에 대해서는 엄정한 처벌을 행함으로써 부작용을 줄이려는 노력이 필요하다.」

이슈토론 은산분리 완화

국내에 인터넷전문은행이 등장한 지 1년이 지났다. 금융당국은 인터넷은행이 성과를 보이고 있다며 추가 인가를 검토하겠다고 지난 2일 밝혔다. 그러나 인터넷은행 발전을 위해 꼭 필요한 은산분리 규제 완화가 이뤄지지 않고 있다는 비판의 목소리가 높다. 증자 등을 통해 효과적으로 덩치를 키우려면 산업자본이 은행 지분 10%, 특히 의결권이 있는 지분은 4% 이상을 보유하지 못하도록 한 은산분리 규정을 완화해야 한다는 주장이다. 그러나 반대 측에서는 산업자본이 은행을 지배하면 은행이 산업자본의 사금고화가 될 수 있다고 주장한다.

부당한 대출은 엄벌하면 될일
인터넷銀 자금난 해소책 시급

찬성

김도형
법무법인 바른 변호사

카카오뱅크의 최초 자본금은 3000억원, 케이뱅크의 최초 자본금은 2500억원으로 이는 전국 단위 은행으로서 차별된 서비스를 제공하기에는 턱없이 부족한 돈이다. 이에 이들은 최근 증자를 위한 절차를 진행 중이다.

하지만 금융지주사인 한국투자금융지주가 50%의 지분을 가지고 있는 카카오뱅크는 사정은 좀 낫다고는 해도 두 회사 모두 증자에 많은 어려움을 겪고 있다. 이와 같은 문제를 해소하기 위해서는 은행법상 은산분리 규제를 완화하는 것이 필수적이다.

은산분리 유지를 주장하는 근거는 산업자본이 은행을 소유하면 사금고화할 우려가 있고, 기업 부실이 은행으로 전이될 위험이 높다는 것이다. 은산분리 제도가 처음 도입된 1960년대와 현재의 우리나라는 전혀 다르다.

KT그룹만 하더라도 2016년 기준 자본금이 1조5000억원에 이르고, 매출액은 17조원가량이며 한 해 영업이익만 1조4000억원에 달한다. 자본금 2500억원에 불과한 인터넷은행을 사금고로 쓰기에는 기업 규모가 너무나 커졌다. 그리고 과거에는 은행 대출이 자금 조달의 유일한 창구였다면 최근에는 주식, 회사채, 기업어음(CP) 발행 등 다양한 방식으로 자금을 조달할 수 있는 자본시장이 열려 있다. 게다가 '특정경제범죄 가중처벌 등에 관한 법률'은 업무상 배임행위로 인해 50억원 이상 이득을 취하면 무기 또는 5년 이상 징역형으로 엄벌하고 있다. 시중에 유동자금이 널려 있는데 관계 은행에서 부당한 대출을 받음으로써 위와 같은 중형을 감수하는 기업이나 기업가가 얼마나 있을지 의문스럽다.

나아가 위와 같은 부작용에 대한 우려가 있다면 무조건적으로 막을 것이 아니라 부작용을 최소화할 수 있는 방안을 제시하는 것이 바람직하다. 현재 국회에는 여러 건의 '인터넷전문은행' 관련 법안이 계류 중이다. 이들 법안은 비금융 주력자의 의결권이 있는 주식 보유 비율을 34~50%로 늘리는 내용의 은산분리 완화 규정을 공통적으로 두고 있으면서도, 은행의 사금고화를 방지하기 위해 대주주에 대한 신용 공여를 금지하고 대주주가 발행한 지분증권 취득을 금하는 내용 또한 포함하고 있다.

부당한 대출이나 전횡적 운영에 대한 우려는 엄벌의 대상일 뿐이다. 이를 우려해 은산분리 완화를 허용할 수 없다는 것은 너무나 행정 편의적이고 규제 중심적인 생각이다. 운영에 관한 모니터링 강화를 통해 위험을 사전에 차단하고 불법행위에 대해서는 엄정하게 처벌함으로써 부작용을 줄이려는 노력이 필요하다.

산업자본·은행 동반부실 우려
대기업 사금고로 전락할수도

반대

맹수석
충남대 법학전문대학원 교수

은행은 대부분 주식회사 형태를 취하고 있음에도 금융시스템상 매우 중요한 위치에 있기 때문에 엄격한 규제를 받게 된다. 특히 은행의 파산은 시스템 리스크를 유발해 그 결과 국민 경제에 심각한 악영향을 미칠 수 있으므로 '공공성'이 강조된다. 같은 이유에서 각국 규제당국은 은행의 재무건전성을 철저히 감독한다. 그런데 최근 인터넷전문은행 돌풍에도 불구하고 엄격한 규제로 발전이 저해된다며 규제를 완화해달라는 목소리가 높다. 고객 수요 대응을 위한 자본 확충에 있어서 '은산분리' 규제가 자금 조달의 족쇄가 되고 있다는 것이다.

현행 은행법에 의하면 산업자본은 은행의 발행주식총수 중 10%까지만 취득하며, 의결권은 취득 주식의 4%로 제한된다. 이것은 은행과 산업자본의 결합을 차단함으로써 은행이 대기업의 사금고가 되는 것을 막고, 의사결정의 왜곡으로 인한 부실화를 방지하고 공정 경쟁을 촉진하는 등 은행의 '공공성'을 확보하기 위한 장치로서의 규제라 할 것이다.

최근 인터넷전문은행은 온라인을 통한 이용의 간편성과 신속성, 각종 수수료 및 금리 절감 등으로 큰 각광을 받고 있고, 나아가 시중은행의 수수료율 인하 등 '메기효과'를 유도하고 있다는 분석도 있다. 얼마 전에는 제3의 인터넷전문은행 인가를 적극 추진하겠다는 금융당국 발표도 있었다.

그렇다면 '은산분리' 원칙을 이쪽에서 허물어야 할까. 결론부터 말하면 '아니오'다. 인터넷전문은행도 시중은행과 마찬가지로 정부의 인가를 받아 엄격한 규제 속에서 은행업을 영위토록 하는 이유는 시스템 리스크 방지에 있다. 즉 산업자본의 은행 취득 제한이 대폭 완화되면 산업자본과 은행의 동반 부실 가능성이 높아지고, 이는 곧 금융소비자 피해 등 국민 경제에 직접적인 악영향을 초래하며, 결국 금융시스템의 불안정으로 이어질 수 있다. 재벌의 문어발식 확장을 통한 경제력 집중과 재벌 비자금 조성 등 문제도 간과할 수 없다. 현재 국회에는 인터넷전문은행에 대해서만큼은 대주주인 IT기업이 출자할 수 있도록 은산분리 원칙을 완화하는 개정법률안이 계류 중이다. 이러한 법안들은 통과 시 인터넷전문은행은 사실상 기업(산업자본)이 지배하는 은행이 된다는 점에서 문제가크다.

소비자의 편익 제고와 금융업 발전을 도모한다는 이유로 규제 완화를 주장하지만, 1997년과 같이 은행 부실화로 인한 '제2의 외환위기'를 경계해야 한다. 금융업에 대한 산업자본 진입의 벽을 낮추는 것만이 금융 발전의 필요조건은 아니다.

은산분리 규제는 산업자본인 대주주가 은행을 소유하게 되는 경우 은행을 사금고로 이용하거나 산업자본의 부실이 금융권으로 전이되어 부실의 파급효가 극대화되는 것을 방지하기 위한 목적으로 만들어진 것이다. 하지만 은행법상의 지분소유 제한비율(4%)이 과연 적정한 것인지에 대한 재검토가 필요한 상황이 도래하였다.

게다가 비금융권 기업들이 은행을 지배하게 되면 부정한 행위를 범할 것이 분명하다는 부정적인 시각에서 벗어나 그들의 자본과 경험이 우리나라 금융산업을 한 단계 도약시킬 수도 있다는 시각의 변화도 필요하다고 생각했다.

규제는 완화하면서도 은행이 건전성을 유지할 수 있도록 감시·감독을 강화하고 은행 건전성에 반하는 행위에 대해서는 엄정히 대처하는 것이 현명한 자세이다. 당장 은행 전반에 대한 은산분리 완화가 어렵다고 하더라도 자본금 규모가 기존 은행에 비하여 현저히 작고 국민 경제에 미치는 파급효 또한 상대적으로 작은 인터넷전문은행만이라도 은산분리 규제를 완화하는 것이 필요하다. 국회에서 잠자고 있는 은행법 개정안들과 인터넷전문은행 설립 및 운영에 관한 특례법안들 모두 이와 같은 인터넷전문은행 활성화를 위한 은산분리 규제 완화정책을 담고 있으므로 이들 법안이 하루 빨리 국회에서 통과되어야 한다. 이것이 당시 필자의 입장이었다.

당시 계류 중이던 인터넷전문은행 관련 법안은 아래 표와 같았다.

	정재호 의원 등 11인	김관영 의원 등 12인	유의동 의원 등 11인
비금융주력자의 의결권 있는 주식 보유 비율	34%	34%	50%
대출 잔액	신용공여 금지	신용공여 금지	인터넷전문은행 자기자본의 10% 범위 내에서 대통령령으로 정하는 비율 or 대주주의 인터넷전문은행에 대한 출자비율 중 적은 금액
대출건수	불가	불가	특별한 규정 없음
건별 대출금액	있음	있음	있음

05

은산분리 규제 완화에 관한
특례법 통과

⚙ **은산분리 규제 완화에 관한 특례법 통과**

절대 받아들여질 것 같지 않았던 인터넷전문은행의 은산분리 규제 완화 논의는 2018. 8. 7. 서울시청 시민청에서 열린 '인터넷전문은행 규제혁신 현장방문' 행사에서 문재인 대통령이 "은산분리는 우리 금융의 기본원칙이지만 지금의 제도가 신산업의 성장을 억제한다면 새롭게 접근해야 한다"며 "은산분리라는 대원칙을 지키면서 인터넷전문은행이 운신할 수 있는 폭을 넓혀줘야 한다"고 말하면서 급물살을 타기 시작했다8). 최종구 금융위원장도 2018. 8. 21. 국회 정무위 전체회의에 출석해, 김병욱 더불어민주당 의원의 은산분리 완화 입

---

8) 2018. 8. 7.자 매일신문
  기사(http://news.imaeil.com/Politics/2018080715033406109)

장에 대한 질문에 "산업자본이 인터넷전문은행에 대한 경영권을 확실히 가질 수 있는 것이 중요하다. 은산분리 완화는 정보통신기술 (ICT) 기업이 1대 주주가 될 수 있어야 의미가 있다. 은산분리 완화 과정에서 원칙적으로 대기업은 배제해야 한다. 공정거래법상 상호 출자제한 대기업 집단을 배제하되 인터넷은행 분야에서 특장점을 지닌 정보통신업종을 위주로 사업을 영위하는 기업에 예외를 인정하는 쪽으로 생각한다"라고 밝혔다[9].

그 이후 국회 내에서 인터넷전문은행에 대한 은산분리 완화에 관한 논의들이 계속되었으나 2018. 8. 임시국회에는 상정도 되지 못하였다. 여당인 더불어민주당 내에서도 의견이 갈리면서 2018. 8. 29. 정책 의원총회에서 산업자본의 지분보유 한도를 25%로 할 것이냐 34%로 할 것이냐를 두고 논의했지만 당론을 결정짓지 못했다. 그뿐 아니라 개인 총수가 있는 자산 10조 원 이상의 대기업 집단을 규제 완화 대상에서 제외해야 한다는 여당의 입장과 기본적으로 모든 기업에 규제 완화를 적용하되 금융위원회의 대주주 적격 심사를 통해 부적격 기업을 걸러내자는 야당의 입장 또한 팽팽하게 대립하였다[10].

이와 같은 진통 끝에 2018. 9. 20. 국회 본회의에서는 산업자본(비금융 주력자)의 의결권 지분 보유 한도를 인터넷전문은행에 한해 현

---

9) 2018. 8. 21.자 이뉴스투데이 기사(http://www.enewstoday.co.kr/news/article View.html?idxno=1223540)
10) 2018. 9. 2.자 스페셜경제 기사(http://www.speconomy.com/news/articleVie w.html?idxno=121313)

행 4%에서 34%로 확대하는 내용의 인터넷전문은행 특례법을 처리했다.

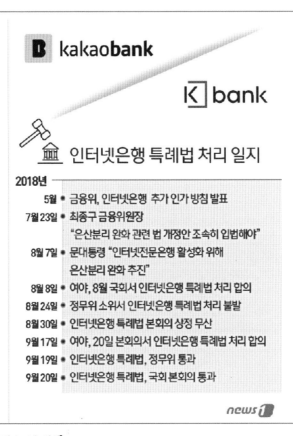

[2018. 9. 20.자 뉴스1 기사]

⚙ 인터넷전문은행 특례법의 주요내용

특례법의 통과 과정에서 은산분리 완화와 관련하여 대기업은 그 혜택을 받아서는 안 된다는 입장과 ICT 업종에게 인터넷전문은행을 허용한 이상 대기업이라고 해서 달리 취급될 이유는 없으며 오히려 대기업의 혁신 DNA를 통한 금융업의 발전을 도모할 수 있다는 입장이 첨예하게 대립하였다. 이후 대기업은 원칙적으로 은산분리 완화의 혜택을 받을 수 없으며 ICT 업종의 경우에 한하여 예외적으로 허용한다는 쪽으로 가닥을 잡았으나 이를 법률로 정할지 아니면 시행령에 위임할지에 대해 다시 한 번 논쟁이 붙었다. 법률이 아닌 시행령은 정부의 방침에 따라 언제든지 바뀔 수 있다는 점에서 정부가 은산분리 완화대상을 ICT기업에만 한정한다는 입장을 고수하더라도 일정기간이 지나거나 다음 정권이 들어서면 얼마든지 은산분리 규제의 벽을 허물어버릴 수 있게 되므로 이와 같은 꼼수를 막기 위해서는 대기업의 은산분리 완화를 금지하는 내용을 반드시 법률로 규정하여야 한다는 의견이 강하게 제기되었다. 이에 타협책으로 대기업은 원칙적으로 제외하되 다만 ICT 업종에 대해서는 예외적으로 허용한다는 대원칙과 예외적 허용에 대한 고려 요소 등은 법률로 규정하고 허용 범위에 관한 구체적인 내용들은 시행령에 위임하는 것으로 2018. 9. 20. 국회 본회의를 통과하였다. 인터넷전문은행법에서 가장 중요한 비금융주력자의 주식보유한도 특례 규정은 다음과 같이 정해졌다.

　　"「독점규제 및 공정거래에 관한 법률」 제14조 제1항에 따른 상호출자제한기업집단은 비금융주력자의 주식보유한도 특례의 허용 대상에서 원칙적으로 제외하고, 해당 기업집단 내 정보통신업 영위 회사의 자산 비중이 높은 경우로서 금융과 정보통신기술의 융합 촉진에 기여할 수 있는 경우에 한해 예외적으로 허용하도록 한다. 비금융주력자가 인터넷은행의 의결권 지분을 34% 이내에서 보유할 수 있도록 하되, 특례를 적용받는 산업자본의 자격과 주식보유와 관련한 승인의 요건은 △출자능력, 재무상태 및 사회적 신용 △경제력 집중에 대한 영향 △주주구성 계획의 적정성 △정보통신업 영위 회사의 자산 비중 △금융과 정보통신기술의 융합촉진 및 서민금융 지원 등을 위한 기여 계획 등을 감안해 별표로 정한다"

금융위원회는 인가 심사할 때 위 별표 요건을 고려해 심사하도록 규정하고 있다.

별표에는 △최근 5년간 금융관련법령·공정거래법·조세범 처벌법·특정경제범죄가중처벌법을 위반해 벌금형 이상에 해당하는 형사처벌을 받은 사실이 없을 것, △한도초과 보유주주가 공정거래법상 상호출자제한기업집단(대기업집단)에 속하는 경우 초과보유 승인이 경제력 집중을 심화시키지 않을 것 △기업집단 내 정보통신업 영위 회사의 자산 총액이 상당한 비중(50% 이상)을 차지할 것 등의 내용이 담겼다.

그 외 특례법의 주요 내용은 아래와 같으며, 「인터넷전문은행 설립 및 운영에 관한 특례법」 전문은 뒤에 별도로 첨부하였다.

가. 인터넷전문은행을 "은행업을 주로 전자금융거래(「전자금융거래법」 제2조 제1호에 따른 거래를 말한다. 이하 같다)의 방법으로 영위하는 은행"으로 정의함(제2조).

나. 인터넷전문은행의 법정 최저자본금은 250억 원으로 함(제4조).

다. 비금융주력자는 인터넷전문은행의 의결권 있는 발행주식 총수의 100분의 34 이내에서 주식을 보유할 수 있도록 하되, 「은행법」 제15조 제3항에 따른 한도를 초과하여 인터넷전문은행의 주식을 보유할 수 있는 비금융주력자의 자격 및 주식보유와 관련한 승인의 요건은 출자능력, 재무상태 및 사회적 신용, 경제력 집중에 대한 영향, 정보통신업 영위 회사의 자산 비중 등을 감안하여 별표로 정함(제5조).

라. 인터넷전문은행은 중소기업을 제외한 기업에 대해 대출을 할 수 없도록 함(제6조).

마. 인터넷전문은행은 동일차주에 대하여 자기자본의 100분의 20, 동일한 개인이나 법인 각각에 대하여 자기자본의 100분의 15를 각각 초과하는 신용공여를 할 수 없도록 함. 다만, 인터넷전문은행이 추가로 신용공여를 하지 아니하였음에도 자기자본의 변동, 동일차주 구성의 변동 등으로 인하여 신용공여 한도를 초과하게 되는 경우에는 그러하지 아니함(제7조).

바. 인터넷전문은행은 그 대주주에게 신용공여를 할 수 없도록 함. 다만, 기업 간 합병 또는 영업의 양수, 동일인 구성의 변동 등에 따라 대주주 아닌 자에 대한 신용공여가 대주주에 대한 신용공여로 되는 경우 등에는 그러하지 아니함(제8조).

사. 인터넷전문은행은 그 대주주가 발행한 지분증권을 취득할 수 없도록 함. 다만, 담보권의 실행 등 권리행사에 필요한 경우 및 그 밖에

불가피한 경우로서 대통령령으로 정하는 경우에는 그러하지 아니
함(제9조).

아. 인터넷전문은행의 대주주는 그 인터넷전문은행의 이익에 반하여
부당한 영향력을 행사할 수 없도록 함(제10조).

자. 제2조에도 불구하고, 이용자의 보호 및 편의증진을 위해 불가피하
다고 인정되는 경우 인터넷전문은행이 대통령령으로 정하는 방법
으로 은행업을 영위할 수 있도록 함(제16조).

⚙ 인터넷전문은행에 대한 기대

「인터넷전문은행법」이 통과되자마자 금융당국은 2018. 9. 21. 기
자간담회를 통해 케이뱅크와 카카오뱅크에 이은 제3의 인터넷전문
은행 예비인가 계획안을 발표하였다[11].

필자는 아직까지 케이뱅크와 카카오뱅크도 본 궤도에 오르지 못
한 상태에서 너무 일찍 제3, 제4의 인터넷전문은행을 인가해 주는
것이 바람직한지는 의문이었다. 인터넷전문은행을 양산하는 것이
목적이 아니라, 하나라도 제대로 된 인터넷전문은행을 길러내기 위
한 토양을 만드는 것이 우선이라고 생각하였기 때문이다.

그리고 기업들이 인터넷전문은행을 사금고화할 용도로 사용할 것

---

11) 2018. 10. 8.자 IT 조선 "제3·4 인터넷전문은행에 시중 은행도 줄줄이 출사
표"(http://it.chosun.com/site/data/html__dir/2018/10/08/2018100800309.ht
ml)

이라는 우려가 기우라고 판단하고 인터넷전문은행에 대한 은산분리를 완화한 것이라면 반드시 ICT 기업에 한정하여 완화할 필요가 있었을까 생각도 들었다. 우리 금융업이 제조업이나 유통업에 비하여 국제경쟁력에서 뒤처지고 있다는 것은 수치상으로 증명되고 있는 것이 현실이고 우리 인터넷전문은행을 국제적인 감각을 가진 전문은행으로 키워 내겠다는 큰 포부를 가졌다면 ICT를 주력으로 하지 않는 대기업에게도 똑같은 기회를 주는 것이 보다 바람직한 시도가 아닌가 생각하였다.

나아가 이번 특례법을 통과시키면서 인터넷전문은행을 도입한 배경을 아래와 같이 소개하고 있음을 확인하고는 너무 저신용자에 대한 중금리 대출을 강조하는 것 같은 느낌을 지울 수 없었다.

「경기침체와 소득양극화가 장기화됨에 따라 저소득층의 비중은 증가하는 반면, 저신용계층을 위한 중금리 대출이 부족하여 금리 양극화가 심각한 상황임. 특히 서민금융의 어려움을 해소하기 위하여는 글로벌 금융위기 이후 축소된 저신용자에 대한 금융공급을 활성화하고, 경쟁의 확대로 양질의 금융서비스가 제공될 필요가 있음. 이러한 배경 하에 국내에 인터넷전문은행이 도입될 경우 빅데이터 분석을 통해 중금리 대출을 활성화하여 서민, 소상공인 등에 대한 금리단층을 해소하고, 은행 간 경쟁촉진을 통해 금융소비자의 편의성을 제고하며, 미래 신성장동력을 창출하는 등의 다양한 긍정적인 효과가 예상됨」

필자가 인터넷전문은행의 역할로서 기대하는 것은 위와 같은 저신용계층에 대한 중금리 대출 강화가 전부는 아니다. 기존 금융권에서 경직된 대출규정에 얽매여 해주지 못하는 저평가된 담보부 대출, 저신용계층이지만 상환의지가 확실한 사람들에 대한 대출과 관련한 중금리대출시장은 P2P 금융과 저축은행이 치열하게 경쟁하고 있다. 물론 통신사인 케이티와 소셜 네트워크 서비스 제공자인 카카오는 자신들이 가지고 있는 특수한 고객 정보 등 빅데이터를 다양하게 분석하여 기존 금융기관에서 보지 못하는 상환 능력 등을 검토하여 중금리 대출시장을 열어줄 수도 있을 것이다.

하지만, 필자가 ICT 기업들이 주도하는 인터넷전문은행에 대해거는 기대는 이 정도에 그치지 않는다. ICT 기업 본연의 사업과 연계하여 기존은행과 차별화된 사업모델을 선보이고 오프라인보다 온라인에 더 익숙해 있는 앞으로의 새로운 세대에게 적합한 새로운 금융환경을 만들어 주기를 인터넷전문은행에 기대하는 것이다.

06

인터넷전문은행과
비대면 실명확인

⚙ 대면을 통한 본인확인의 허구

필자가 인터넷전문은행과 관련하여 꼭 언급하는 사건이 하나 있다. 2015년 신용불량자인 A는 자신의 형인 B인 것처럼 행세하면서 자신의 사진과 함께 형의 주민등록증을 재발급 받았다. 당시 주민등록증 발급을 담당한 구청 공무원은 주민등록전산자료에 등록된 1999년 당시의 B의 사진과 A의 동일성 여부를 구별하지 못하고 A에게 B의 주민등록증 발급해 주고 말았다. 이와 같이 위조된 주민등록증으로 발급받은 A에게 카드사는 B의 신용등급을 기초로 신용카드를 발급해 주었으나, 신용불량자였던 A는 사용한 카드대금을 당연히 갚지 못했고 이에 카드사가 해당 구청을 상대로 A의 카드이용대금 상당액을 손해배상으로 청구한 사건이었다. 필자는 카드사를 대리하였는데 재판부는 "해당 구청은 카드사에게 A의 카드이용대금 상당액을 배상하라"고 판시하였다(서울중앙지방법원 2017. 6. 16. 선고 2016나71142 판결).

그 이유는 아래와 같다.

'주민등록법 시행령'은 주민등록증 재발급 시 ① 국가·지방자치단체 또는 공공기관에서 발급한 증명서(사진이 부착된 것)를 제시하거나 ② 주민등록지의 이장이 확인을 하거나 ③ 17세 이상의 동일세대원, 배우자, 직계혈족 또는 형제자매가 동행하는 방법으로 본인확인을 하고, 위 방법으로 신분확인이 곤란한 경우에는 신청인의 동의를 받아 지문을 주민등록전산자료와 전자적 방법으로 대조하여 확인할 수 있음을 규정하고 있다(제40조 제4항, 제5항, 제36조 제4항).

만일 주민등록에 있어서 신분사항이 불법적으로 변조 또는 위조되는 사태가 발생하게 되면 그것을 기초로 하여 발급된 허위내용의 주민등록증, 인감증명서가 부정사용됨으로써 국민 개개인이 신분상·재산상 권리에 관하여 회복할 수 없는 손해를 입게 될 개연성이 높기 때문에, 그와 같은 사태의 발생을 예방하기 위하여 주민등록증 재발급 업무를 담당하는 공무원으로서는 위 법령에서 정한 바에 따라 그 신청인이 본인임을 확인할 수 있는 경우에 한하여 주민등록증을 재발급해 줄 직무상 의무가 있다고 할 것이다.

더욱이 주민등록전산자료의 사진까지 변경하는 경우라면 그 담당공무원으로서는 재발급신청인이 본인인지 여부를 확인함에 있어서 신청인이 진술하는 인적사항 및 증명청에 비치되어 있는 가능한 모든 자료를 비교, 검토하여 신청인이 본인이라는 확신이 들 경우에 한하여 재발급신청을 접수·수리하여야 할 것이다.

이 사건 당시 구청 공무원은 주민등록증 재발급신청인인 A의 용모와 주민등록전산자료상의 B의 화상사진만을 대조한 채 주관적으로 신청인이 본인과 동일인이라고 속단할 것이 아니라, 나아가 주민등록전산자료에 등록되어 있는 지문을 대조하여 봄으로써 신청인이 본인인지를 확인한 다음에야 재발급신청을 접수하고 주민등록증을 재발급하였어야 할 주의의무가 있음에도 불구하고, A의 얼굴과 주민등록전산자료상의 B의 오래된 화상사진만을 대조한 후 섣불리 동일인이라고 판단한 다음 지문대조절차를 생략한 채 A가 제출한 사진을 B의 주민등록전산자료에 새로이 등록하고 이 사건 주민등록증을 재발급하여 주었다. 따라서 구청 공무원에게 이 사건 주민등록증의 재발급 과정에서 본인확인 등의 의무를 다하지 못한 직무상 과실이 있다고 할 것이다.

구청은 위 재발급 당시 A의 지문이 육안으로 식별할 수 없을 정도로 심하게 훼손된 상태였고 A가 지문대조에 동의하지 않아 구청 공무원은 B의 현 주소와 전 주소, 본적지, 배우자 성명과 생년월일, 자녀의 성명과 생년월일, 형제관계 등을 질문하는 방법으로 본인확인 절차를 이행하였으므로 직무상의 주의의무를 소홀히 한 과실이 없다는 취지로 다투나, 위 재발급 당시 B를 사칭한 A가 지문대조에 동의하지 않은 사정이 있었다고 하더라도 위 주장과 같은 질문의 방법으로 본인확인 절차를 대체하는 것이 허용된다고 할 수도 없고, A가 질문에 맞는 대답을 한다는 이유로 담당 공무원이 A를 B 본인이라고 믿었던 것에 직무상 주의의무를 소홀히 한 과실이 없다고 할 수 없다.

이 사건을 진행하면서 우리 주민등록법에 아직까지 본인확인을 위해 주민등록지 이장의 확인을 받도록 하는 규정이 남아 있는 것을 보고 실소를 금할 수 없었다. 각설하고 이 사건을 통해서 분명히 확인할 수 있는 대목은 우리가 본인확인을 위해 지금까지 신주단지 모시듯 해 왔던 직접대면 방식이 그다지 정확하지도 않고 효율적이지도 않다는 사실이다. 기술의 발달로 인하여 지문대조, 홍채인식 등 다양한 방식의 본인확인 절차가 활용되고 있으며 앞으로도 본인확인을 위한 다양한 기술이 개발될 것으로 예상되는데, 이와 같이 허술하기 그지없는 직접대면 방식의 본인확인을 아래와 같이 더 이상 고집하지 않게 된 것은 천만다행이라고 생각된다.

인터넷전문은행을 처음 도입할 때 가장 먼저 걸림돌로 작용한 것이 바로 이 대면방식의 본인확인 절차였다. 현행 「금융실명거래 및 비밀보장에 관한 법률(이하 '금융실명법')」에서는 다음과 같은 실명확인 규정을 두고 있다.

FINTECH
FINANCIAL TECHNOLOGY

[금융실명법]

제3조(금융실명거래)

① 금융회사등은 거래자의 실지명의(이하 "실명"이라 한다)로 금융거래를 하여야 한다.

⑦ 실명거래의 확인 방법 및 절차, 확인 업무의 위탁과 그 밖에 필요한 사항은 대통령령으로 정한다.

[금융실명법 시행령]

제4조의2(실명거래의 확인 등)

① 금융거래를 할 때 실지명의는 다음 각 호의 구분에 따른 증표·서류에 의하여 확인한다.

  1. 개인의 경우

    가. 주민등록증 발급대상자는 주민등록증. 다만, 주민등록증에 의하여 확인하는 것이 곤란한 경우에는 국가기관, 지방자치단체 또는 「교육기본법」에 따른 학교의 장이 발급한 것으로서 실지명의의 확인이 가능한 증표 또는 주민등록번호를 포함한 주민등록표 초본과 신분을 증명할 수 있는 증표에 의하여 확인한다.

    나. 주민등록증 발급대상자가 아닌 자는 주민등록번호를 포함한 주민등록표 초본과 법정대리인의 가목의 증표 또는 실지명의의 확인이 가능한 증표·서류

    다. 재외국민은 제3조 제1호 단서에 따른 여권 또는 재외국민등록증

  4. 외국인의 경우: 제3조 제4호에 따른 외국인등록증, 여권 또는 신분증

  5. 제1호부터 제4호까지의 규정에 따라 실지명의를 확인하기 곤란한 경우: 관계 기관의 장의 확인서·증명서 등 금융위원회가 정하는 증표·서류

그런데 명문규정에 특별한 제한이 없음에도 불구하고, 2015년까지는 위와 같이 주민등록증 등을 이용하여 실명확인을 하는 경우 반드시 대면 방식으로 하도록 유권해석을 하고 있었다. 하지만 인터넷전문은행은 기본적으로 오프라인의 지점을 두고 있지 않기 때문에 이와 같은 대면 방식의 실명확인을 하는 것이 원천적으로 불가능하였고, 이에 비대면 실명확인을 허용해 달라는 요청이 계속되었고 결국 2015. 12. 유권해석을 변경하여 비대면 방식의 실명확인을 통한 계좌개설을 허용하게 되었다.

□ **(추진배경) IT** 기술발달에 따라 인터넷뱅킹, 모바일뱅킹 등 비대면 금융거래가 증가하고 있으나, 「금융실명법」 상 **실명확인을 대면으로 제한**하여 금융소비자의 **불편**을 초래('93년~)

➡ **금융개혁**의 차원에서 **비대면 실명확인**을 통한 계좌개설을 **허용**해, 소비자의 금융거래 편의성 제고('15.12월, 유권해석 변경)

□ **(경과) 제도 도입 후** 금융회사별 준비상황, 추가 건의사항 등을 반영하여 **단계적으로 개선·보완**

① **'15.12월,** 시스템 안정성이 높은 **은행권**부터 비대면 실명확인 개시

② **'16.2월, 제2금융권**(금융투자업자·상호저축은행 등) 비대면 실명확인 실시

③ **'16.8월,** 실명확인증표에 **여권**을 추가하고, **기존계좌 활용방식** 보완
 • (종전) 고객이 기존 계좌에 있는 금액을 금융회사에 이체(고객→금융회사)하는 방식
  (개선) 금융회사가 고객의 기존 계좌에 금액을 이체(금융회사→고객)하는 방법도 허용

④ **'17.1월,** 적용대상을 확대하고, **신분증 진위확인 서비스 도입**

□ **(현황)** 비대면 실명확인 허용 후 **약 1년간, 총 73.4만개 계좌**가 비대면 방식으로 신규 개설('15.12월~'16.12월, 은행 16社·금융투자 21社)
 • 상호저축은행(대부분 '16.12월 이후 비대면 실명확인 개시) 포함 통계는 추후 발표(예정)

○ 지점이 적은 금융투자업계 등이 비대면 실명확인을 적극 활용한 결과 서비스 개시가 늦었음에도 개설 계좌 수는 은행권의 약 **4**배 수준임

[금융위원회 2017. 1. 17.자 보도자료]

⚙ 비대면 실명확인의 보편화

이와 같은 비대면 실명확인을 통한 계좌개설을 허용하자 기존의 금융회사의 경우도 앞다퉈 비대면 실명확인을 위한 기술을 개발하고 새로운 앱들을 선보이기 시작하였다. 이에 소비자들도 이제 더이상 계좌개설을 위해 대기표를 뽑아들고 1시간씩 은행 창구에서 기다릴 필요가 없게 되었다.

경제 > 경제일반

미래에셋대우, 비대면 개설 계좌 예탁자산 10조원 돌파

등록 2018-01-19 11:34:45

[2018. 1. 19.자 뉴시스 기사]

HOME > 금융 > 증권

삼성증권 비대면 계좌개설 가입자수 폭증...'나혼자 산다' 한혜진·이시언 효과?

유민주 기자 | 승인 2018.03.15 17:22 | 댓글 0

[[2018. 3. 15.자 스페셜경제 기사]

경제	**KB증권, 복수 금융기관 비대면 계좌 동시 개설 시스템 특허 취득**
	다른 금융기관 비대면 계좌, 고객 중복입력 없이 동시에 개설
	금융기관 간 복합 상품과 서비스 제공 확대 기술적 기반 마련

기사본문 | 댓글 바로가기 | 등록 : 2018-01-29 14:38

[2018. 4. 13.자 데일리안 뉴스]

대면 방식의 신분확인이 절대적이고 안전하다고 생각했던 사고에서 탈피하여 생체인식이라는 기술을 도입하면서 금융서비스는 보다 편리해졌고 보다 더 안전해졌다. 비대면 방식의 계좌개설이 단지 인터넷전문은행 때문에 생겼다고 단정적으로 이야기할 수는 없겠지만 인터넷전문은행의 도입을 검토하면서 포문을 연 것만은 부정할 수 없을 것이다. 이처럼 인터넷전문은행은 알게 모르게 우리 금융환경을 조금씩 조금씩 바꿔왔다.

07

인터넷전문은행법 통과
이후의 상황

◎ 대주주 자격 등에 관한 새로운 논란

인터넷전문은행법이 통과된 초반 분위기는 좋았다. 금융위원회와 금융감독원은 2018. 12. 24. 인터넷전문은행 신규인가 추진 계획을 내놓았다. 은행업 경쟁도 평가결과, 해외 주요국 동향 등을 감안하여 2개사 이하를 신규로 인가하며, 인가심사기준으로는 은행법령상 심사기준 외에도 주주구성·사업계획의 혁신성·포용성·안정성 등을 제시하였다.

그리고 2019. 3. 27. 제3의 인터넷전문은행 예비인가 신청을 받았다. 키움증권을 중심으로 하나은행, SK그룹 자회사 등이 참여한 '키움뱅크 컨소시엄', 간편송금 서비스 '토스'를 운영하는 비바리퍼블리

카를 중심으로 한화투자증권, 글로벌 벤처캐피탈 등이 참여한 '토스뱅크 컨소시엄' 및 가칭 '애니밴드 스마트은행' 등 3개 컨소시엄 업체가 신청서를 제출하였다12). 당초 참여할 것으로 예상되었던 ICT 기업군인 네이버와 인터파크가 참여하지 않았고, '토스뱅크 컨소시엄'에 제2대 주주로 참여하기로 하였던 신한은행이 최종적으로 컨소시엄에 참여하지 않기로 하는 등 흥행은 금융당국의 예상보다 저조하였다. 이와 같은 흥행 저조는 기존 인터넷전문은행인 카카오뱅크와 케이뱅크의 대주주 증자와 관련한 금융감독 당국의 문제제기와도 관련이 있다.

금융위원회는 2019. 4. 17. 기존 인터넷전문은행인 '케이뱅크'에 대해 KT 대주주적격 심사를 잠정적으로 중단한다고 발표하였다. KT는 인터넷전문은행법에 기초하여 약 5,920억 원 규모의 유상증자를 통해 '케이뱅크'의 지분율을 34%로 높이는 내용의 주식보유한도 초과보유 승인신청을 하였는데, 금융위원회는 KT가 정부 입찰 과정에서 다른 통신사들과 담합한 혐의로 공정위의 조사를 받고 있기 때문에 은행업감독규정 제14조의213)에 따라 해당 조사가 끝날 때까지 주식보유한도 초과보유 승인에 대한 심사절차를 진행할 수 없다는

---

12) 2019. 3. 27.자 파이낸셜 뉴스 기사 "제3 인터넷은행에 3곳 출사표... 키움 vs 토스 2파전 압축"(http://www.fnnews.com/news/201903271852161327)

13) 동일인 등을 상대로 형사소송 절차가 진행되고 있거나 금융위, 공정거래위원회, 국세청, 검찰청 또는 금융감독원 등에 의한 조사·검사 등의 절차가 진행되고 있고, 그 소송이나 조사·검사 등의 내용이 심사에 중대한 영향을 미칠 수 있다고 인정되는 경우에는 그 소송이나 조사·검사 등의 절차가 끝날 때까지의 기간 동안 동일인의 주식보유한도 초과보유 승인을 유보할 수 있다.

입장을 밝힌 것이다. 인터넷전문은행법 제5조에서는 인터넷전문은행의 대주주가 되기 위한 요건 중의 하나로 '최근 5년간 금융 관련법령, 「독점규제 및 공정거래에 관한 법률」, 「조세범 처벌법」 또는 「특정경제범죄 가중처벌 등에 관한 법률」을 위반하여 벌금형 이상에 해당하는 형사처벌을 받은 사실이 없을 것'을 요건으로 하는데, 케이뱅크의 대주주가 되려는 KT가 「독점규제 및 공정거래에 관한 법률」 위반의 의심을 받고 있다는 것이다. 물론 은행업감독규정은 '공정위 조사 내용이 심사에 중대한 영향을 미칠 수 있다고 인정되는 경우'에 한하여 적용되며, 은행법 시행령 별표1에서도 한도초과보유주주가 최근 5년간 「독점규제 및 공정거래에 관한 법률」을 위반한 사실이 없을 것을 주식보유한도 초과보유 승인요건으로 하면서도 그 위반의 정도가 경미하다고 금융위원회가 인정하는 경우에는 예외를 인정하고 있었으나, 금융위원회는 인가 단계에서도 특혜 시비가 일었던 케이뱅크에 대해 위 예외를 인정하고자 하지 않았다.

설상가상으로 2019. 5. 26. 금융위원회는 제3의 인터넷전문은행 예비인가를 신청한 '키움뱅크 컨소시엄'과 '토스뱅크 컨소시엄'에 대해 '사업계획의 혁신성과 실현가능성이 미흡하다', '출자능력과 자금조달능력이 부족하다'는 각각의 이유를 들어 예비인가를 불허하는 결정을 내렸다. 금융위원회는 금융감독원의 요청에 따라 구성된 외부평가위원회의 입장을 그대로 수용하기로 한 것이다. 은행법 및 은행법 시행령에 따르면 인터넷전문은행의 예비인가에 대한 결정권은 금융위원회에 있으며, 다만 금융위원회는 금융감독원장에게 인가 심사에 관한 업무를 위탁할 수 있다. 그리고 은행업감독규정 제7조는 금융감독원장의 위 인가 심사와 관련하여 사업계획 등의 타당성을 평가하기 위하여 필요하다고 판단되는 경우에는 평가위원회를 구성·운영할 수 있다고 규정하고 있다. 대외적 법규성이 있는 법규명령도 아닌 내부 업무처리 기준에 불과한 행정규칙에 법적 근거를 두고 있을 뿐이며, 그마저도 상설적 기구가 아닌 임의적 자문기구에 불과한 외부평가위원회의 결과가 나오자마자 금융감독원과 금융위원회가 이를 따르기로 하였다는 것은 그 결론의 당부를 떠나서 절차적으로도 납득하기 어렵다. 게다가 외부평가위원회의 구성원이 누구인지, 이들이 위와 같은 결론에 이르게 된 구체적인 이유는 무엇인지에 대해 명확한 설명이 없는 것은 더욱 답답하였다.

⚙ 특례법 개정으로 문제 해결

앞서 본 금융위원회 결정으로 케이뱅크의 지분율 증대가 공정위 조사가 끝날 때까지 매우 오랜 시간이 걸릴 것으로 예상한 산업계 및 전문가들은 인터넷전문은행 대주주 자격요건을 완화하는 내용의 인터넷전문은행법 개정안을 상정하였고, 우여곡절 끝에 2020. 4. 29. 개정안이 국회 본회의를 통과하였다. 이 특례법 개정안은 문제가 된 '공정거래법 위반'이라는 포괄적 규정 대신 '공정거래법 중 불공정거래 행위 및 특수관계인에 대한 부당한 이익 제공의 금지규정을 위반한 경우'로 제한함으로써 앞서의 사건에서 문제되었던 담합행위를 제외하였다.

케이뱅크가 대주주적격심사로 주춤하는 사이 카카오뱅크는 2019년

11월경 5,000억 원의 추가 증자를 완료하여 총자본금을 1.8조 원으로 높였으며, 2021년에는 주식시장 상장(IPO)도 계획하고 있다. 2019년 12월에는 토스뱅크가 재수 끝에 세 번째 인터넷전문은행 예비인가를 받고 2021년 7월경 서비스를 제공하기 위해 준비 중에 있다.

이제 은산분리와 관련한 오랜 논쟁은 어느 정도 마무리되었다. 규제 완화를 통한 신사업 성장이라는 큰 화두를 던진 케이뱅크, 카카오뱅크, 토스뱅크 3총사가 앞으로 또 어떤 활약을 보여줄지 기대해본다.

인터넷전문은행 설립 및 운영에 관한 특례법

제1장 총칙

제1조(목적)

이 법은 금융과 정보통신기술이 융합한 인터넷전문은행에 대하여「은행법」의 특례를 정함으로써 금융혁신과 은행업의 건전한 경쟁을 촉진하고 금융소비자의 편익을 증진하여 금융산업 및 국민경제의 건전한 발전에 이바지함을 목적으로 한다.

제2조(정의)

이 법에서 "인터넷전문은행"이란 은행업을 주로 전자금융거래(「전자금융거래법」 제2조 제1호에 따른 거래를 말한다. 이하 같다)의 방법으로 영위하는 은행을 말한다.

제3조(다른 법률과의 관계)

① 인터넷전문은행에 관하여 이 법에 특별한 규정이 있는 경우를 제외하고는「은행법」에서 정하는 바에 따른다.

② 이 법 및「은행법」이외의 다른 법률을 해석·적용함에 있어 이 법에 따른 인터넷전문은행은「은행법」에 따라 인가를 받아 설립된 은행으로 본다.

제2장 인터넷전문은행의 설립 등

제4조(최저자본금의 특례)

① 인터넷전문은행의 자본금은「은행법」제8조 제2항 제1호 본문에도 불구하고 250억 원 이상으로 할 수 있다.

② 인터넷전문은행은 은행업을 영위할 때 제1항에 따른 자본금을 유지하여야 한다.

제5조(비금융주력자의 주식보유한도 특례)

① 비금융주력자는 「은행법」 제16조의2 제1항 및 제2항에도 불구하고 인터넷전문은행의 의결권 있는 발행주식 총수의 100분의 34 이내에서 주식을 보유할 수 있다.

② 제1항의 경우 「은행법」 제15조, 제16조, 제16조의4 및 제65조의9를 적용한다. 다만, 「은행법」 제15조 제5항에 따른 은행의 주식을 보유할 수 있는 자의 자격 및 주식보유와 관련한 승인의 요건에도 불구하고 「은행법」 제15조 제3항 본문에 따른 한도를 초과하여 인터넷전문은행의 주식을 보유할 수 있는 비금융주력자의 자격 및 주식보유와 관련한 승인의 요건은 다음 각 호의 사항을 감안하여 별표로 정한다.

  1. 출자능력, 재무상태 및 사회적 신용
  2. 경제력 집중에 대한 영향
  3. 주주구성계획의 적정성
  4. 정보통신업 영위 회사의 자산 비중
  5. 금융과 정보통신기술의 융합 촉진 및 서민금융 지원 등을 위한 기여 계획

③ 금융위원회는 제1항에 따라 인터넷전문은행의 주식을 보유하는 자에 대해 「은행법」 제16조의4 제1항에 따른 초과보유요건등을 심사하는 경우에는 제2항에 따른 별표의 요건을 심사하여야 한다.

제3장 건전경영의 유지

제6조(인터넷전문은행의 업무범위)

인터넷전문은행은 「은행법」 제27조 및 제27조의2 제1항에도 불구하고 법인에 대한 신용공여를 할 수 없다. 다만, 「중소기업기본법」 제2조 제1항에 따른 중소기업에 대한 신용공여는 그러하지 아니하다.

제7조(동일차주 등에 대한 신용공여한도)

① 「은행법」 제35조 제1항 본문에도 불구하고 인터넷전문은행은 동일차주

(「은행법」 제35조 제1항 본문에 따른 동일차주를 말한다. 이하 같다)에 대하여 그 인터넷전문은행의 자기자본의 100분의 20을 초과하는 신용공여를 할 수 없다. 다만, 다음 각 호의 어느 하나에 해당하는 경우로서 대통령령으로 정하는 경우에는 그러하지 아니하다.

1. 국민경제를 위하여 또는 인터넷전문은행의 채권 확보의 실효성을 높이기 위하여 필요한 경우
2. 인터넷전문은행이 추가로 신용공여를 하지 아니하였음에도 불구하고 자기자본의 변동, 동일차주 구성의 변동 등으로 인하여 본문에 따른 한도를 초과하게 되는 경우

② 「은행법」 제35조 제3항 본문에도 불구하고 인터넷전문은행은 동일한 개인이나 법인 각각에 대하여 그 인터넷전문은행의 자기자본의 100분의 15를 초과하는 신용공여를 할 수 없다. 다만, 제1항 단서에 해당하는 경우에는 그러하지 아니하다.

③ 인터넷전문은행이 제1항 제2호에 따라 제1항 본문 및 제2항 본문에 규정된 한도를 초과하게 되는 경우에는 그 한도가 초과하게 된 날부터 1년 이내에 제1항 본문 및 제2항 본문에 규정된 한도에 맞도록 하여야 한다. 다만, 대통령령으로 정하는 부득이한 사유에 해당하는 경우에는 금융위원회가 그 기간을 정하여 연장할 수 있다.

제8조(대주주에 대한 신용공여 금지)

① 인터넷전문은행은 「은행법」 제35조의2 제1항에도 불구하고 그 인터넷전문은행의 대주주(「은행법」 제35조의2 제1항에 따른 대주주를 말한다. 이하 이 조에서 같다)에게 신용공여를 하여서는 아니 된다. 다만, 기업 간 합병 또는 영업의 양수, 동일인 구성의 변동 등에 따라 대주주 아닌 자에 대한 신용공여가 대주주에 대한 신용공여로 되는 경우 및 그 밖에 불가피한 경우로서 대통령령으로 정하는 경우에는 그러하지 아니하다.

② 인터넷전문은행은 제1항에 따른 신용공여 금지를 회피하기 위한 목적으로 다른 은행과 교차하여 신용공여를 하여서는 아니 된다.

③ 인터넷전문은행은 그 인터넷전문은행의 대주주에게 자산을 무상으로 양

도하거나 통상의 거래조건에 비추어 그 인터넷전문은행에게 현저하게 불리한 조건으로 거래를 하여서는 아니 된다.

④ 인터넷전문은행이 제1항 단서에 따라 신용공여를 하게 되는 경우에는 그 신용공여를 하게 된 날부터 1년 이내에 이를 해소하여야 한다. 다만, 대통령령으로 정하는 부득이한 사유에 해당하는 경우에는 금융위원회가 그 기간을 정하여 연장할 수 있다.

제9조(대주주가 발행한 지분증권의 취득금지)

① 인터넷전문은행은 「은행법」 제35조의3 제1항 본문에도 불구하고 그 인터넷전문은행의 대주주(「은행법」 제35조의3 제1항 본문에 따른 대주주를 말한다. 이하 같다)가 발행한 지분증권(「자본시장과 금융투자업에 관한 법률」 제4조 제4항에 따른 지분증권을 말한다. 이하 이 조에서 같다)을 취득하여서는 아니 된다. 다만, 담보권의 실행 등 권리행사에 필요한 경우 및 그 밖에 불가피한 경우로서 대통령령으로 정하는 경우에는 그러하지 아니하다.

② 인터넷전문은행이 제1항 단서에 따라 대주주가 발행한 지분증권을 취득하게 되는 경우에는 그 지분증권을 취득하게 된 날부터 1년 이내에 해당 지분증권을 처분하여야 한다. 다만, 대통령령으로 정하는 부득이한 사유에 해당하는 경우에는 금융위원회가 그 기간을 정하여 연장할 수 있다.

제10조(대주주의 부당한 영향력 행사의 금지)

인터넷전문은행의 대주주는 그 인터넷전문은행의 이익에 반하여 다음 각 호의 어느 하나에 해당하는 행위를 하여서는 아니 된다.

1. 인터넷전문은행에 대하여 외부에 공개되지 아니한 자료 또는 정보의 제공을 요구하는 행위. 다만, 「금융회사의 지배구조에 관한 법률」 제33조 제6항 및 「상법」 제466조에 따른 권리의 행사에 해당하는 경우를 제외한다.

2. 경제적 이익 등 반대급부의 제공을 조건으로 다른 주주와 담합하여 인터넷전문은행의 인사 또는 경영에 부당한 영향력을 행사하는 행위

3. 경쟁사업자의 사업활동과 관련하여 신용공여를 조기 회수하도록 요구하는 등 인터넷전문은행의 경영에 영향력을 행사하는 행위
4. 인터넷전문은행으로 하여금 제8조 제1항을 위반하게 하여 인터넷전문은행으로부터 신용공여를 받는 행위
5. 인터넷전문은행으로 하여금 제8조 제2항을 위반하게 하여 다른 은행으로부터 신용공여를 받는 행위
6. 인터넷전문은행으로 하여금 제8조 제3항을 위반하게 하여 대주주에게 자산의 무상양도 및 거래를 하게 하는 행위
7. 인터넷전문은행으로 하여금 제9조를 위반하게 하여 대주주가 발행한 지분증권을 취득하게 하는 행위

제4장 감독 · 검사

제11조(대주주에 대한 자료 제출 요구)

금융위원회는 인터넷전문은행 또는 그 대주주가 제8조부터 제10조까지를 위반한 혐의가 있다고 인정할 때에는 인터넷전문은행 또는 그 대주주에 대하여 필요한 자료의 제출을 요구할 수 있다.

제12조(대주주에 대한 검사)

① 금융위원회는 인터넷전문은행의 대주주가 제10조를 위반한 혐의가 인정되는 경우 금융감독원장으로 하여금 그 목적에 필요한 최소한의 범위에서 해당 대주주의 업무 및 재산 상황을 검사하게 할 수 있다.
② 제1항에 따른 검사에 관하여는 「은행법」 제48조 제2항부터 제4항까지를 준용한다.

제13조(인터넷전문은행에 대한 제재)

① 금융위원회는 인터넷전문은행이 이 법 또는 이 법에 따른 규정 · 명령 또는 지시를 위반하여 인터넷전문은행의 건전한 경영을 해칠 우려가 있다고 인정되는 경우에는 금융감독원장의 건의에 따라 다음 각 호의 어느 하나에 해당하는 조치를 하거나 금융감독원장으로 하여금 해당 위반행

위의 중지 및 경고 등 적절한 조치를 하게 할 수 있다.

1. 해당 위반행위에 대한 시정명령
2. 6개월 이내의 영업의 일부정지

② 금융위원회는 인터넷전문은행이 다음 각 호의 어느 하나에 해당하면 그 인터넷전문은행에 대하여 6개월 이내의 기간을 정하여 영업의 전부정지를 명하거나 은행업의 인가를 취소할 수 있다.

1. 제1항 제1호에 따른 시정명령을 이행하지 아니한 경우
2. 제1호 외의 경우로서 이 법 또는 이 법에 따른 명령이나 처분을 위반하여 예금자 또는 투자자의 이익을 크게 해칠 우려가 있는 경우

③ 인터넷전문은행은 제2항에 따라 은행업의 인가가 취소된 경우에는 해산한다.

제14조(임직원에 대한 제재)

① 금융위원회는 인터넷전문은행의 임원이 이 법 또는 이 법에 따른 규정·명령 또는 지시를 고의로 위반하는 경우에는 금융감독원장의 건의에 따라 해당 임원의 업무집행 정지를 명하거나 주주총회에 그 임원의 해임을 권고할 수 있으며, 금융감독원장으로 하여금 경고 등 적절한 조치를 하게 할 수 있다.

② 금융감독원장은 인터넷전문은행의 직원이 이 법 또는 이 법에 따른 규정·명령 또는 지시를 고의로 위반하는 경우에는 면직·정직·감봉·견책 등 적절한 문책처분을 할 것을 해당 인터넷전문은행의 장에게 요구할 수 있다.

제15조(퇴임한 임원 등에 대한 조치 내용의 통보)

① 금융위원회(제14조 제1항에 따라 조치를 하거나 같은 조 제2항에 따라 문책처분을 할 것을 요구할 수 있는 금융감독원장을 포함한다)는 인터넷전문은행의 퇴임한 임원 또는 퇴직한 직원이 재임 중이었거나 재직 중이었더라면 제14조 제1항 또는 제2항에 해당하는 조치를 받았을 것으로 인정되는 경우에는 그 조치의 내용을 해당 인터넷전문은행의 장에게 통

보할 수 있다.

② 제1항에 따른 통보를 받은 인터넷전문은행의 장은 이를 퇴임·퇴직한 해당 임직원에게 통보하고, 그 내용을 기록·유지하여야 한다.

제5장 보칙

제16조(금융소비자의 보호 및 편의증진)

제2조에도 불구하고 인터넷전문은행은 인터넷전문은행 이용자의 보호 및 편의증진을 위해 불가피하다고 인정되는 경우 대통령령으로 정하는 방법으로 은행업을 영위할 수 있다. 이 경우 인터넷전문은행은 해당 영업의 내용, 방식, 범위 등을 대통령령이 정하는 바에 따라 금융위원회에 사전 보고하여야 한다.

제17조(공시에 대한 특례)

인터넷전문은행은 인터넷 홈페이지 등을 통하여 전자적 방법으로 관련 서류를 공시함으로써 다른 법률상의 본점, 지점 또는 영업점에서의 서류 게시, 비치 내지 열람제공 의무를 갈음할 수 있다.

제18조(문서 등에 대한 특례)

인터넷전문은행은 「은행법」 제27조, 제27조의2 및 제28조에서 정한 업무를 수행함에 있어 다른 법령에도 불구하고 관련 법령에 따라 제출, 제공 또는 수령하여야 하는 문서 내지 서면자료를 「전자문서 및 전자거래 기본법」 제2조 제1호에 따른 전자문서의 제출, 제공 또는 수령으로 갈음할 수 있고, 관련 법령에 따라 자필로 적도록 한 사항은 「전자서명법」 제2조 제2호에 따른 전자서명이나 녹취의 방법으로 확인하는 것으로 갈음할 수 있다.

제19조(권한의 위탁)

금융위원회는 이 법에 따른 권한의 일부를 대통령령으로 정하는 바에 따라 금융감독원장에게 위탁할 수 있다.

제6장 과징금의 부과 및 징수

제20조(과징금)

금융위원회는 인터넷전문은행이 제6조, 제7조, 제8조 및 제9조를 위반하거나 대주주가 제10조를 위반한 경우에는 다음 각 호의 구분에 따라 과징금을 부과할 수 있다.

1. 제6조를 위반하여 신용공여를 한 경우: 해당 신용공여액의 100분의 5 이하
2. 제7조 제1항·제2항에 따른 신용공여한도를 초과한 경우: 초과한 신용공여액의 100분의 30이하
3. 제8조 제1항을 위반하여 신용공여를 한 경우: 해당 신용공여액 이하
4. 제8조 제3항을 위반하여 자산을 무상양도하거나 현저하게 불리한 조건으로 거래를 한 경우: 해당 자산의 장부가액 또는 해당 거래액 이하
5. 제9조 제1항을 위반하여 대주주가 발행한 지분증권을 취득한 경우: 취득한 지분증권의 장부가액 합계액 이하
6. 대주주가 제10조를 위반함으로써 인터넷전문은행이 제8조 제1항을 위반하여 신용공여를 한 경우: 해당 신용공여액 이하
7. 대주주가 제10조를 위반함으로써 인터넷전문은행이 제8조 제3항을 위반하여 자산을 무상양도하거나 인터넷전문은행에게 불리한 조건으로 거래를 한 경우: 해당 자산의 장부가액 또는 해당 거래액 이하
8. 대주주가 제10조를 위반함으로써 인터넷전문은행이 제9조 제1항을 위반하여 해당 대주주가 발행한 지분증권을 취득한 경우: 취득한 지분증권의 장부가액 합계액 이하

제7장 벌칙

제21조(벌칙)

① 다음 각 호의 어느 하나에 해당하는 자는 10년 이하의 징역 또는 5억 원 이하의 벌금에 처한다.

1. 제8조를 위반하여 대주주에게 신용공여를 하거나 대주주와 거래를 한 자 및 그로부터 신용공여를 받거나 그와 거래를 한 대주주
2. 제9조 제1항을 위반하여 대주주가 발행한 지분증권을 취득한 자
3. 제10조를 위반한 자

② 제7조 제1항 또는 제2항을 위반하여 신용공여를 한 자는 3년 이하의 징역 또는 1억 원 이하의 벌금에 처한다.

③ 제6조를 위반하여 법인에 대한 신용공여를 한 자는 1년 이하의 징역 또는 3천만 원 이하의 벌금에 처한다.

제22조(양벌규정)

법인의 대표자나 법인 또는 개인의 대리인, 사용인, 그 밖의 종업원이 그 법인 또는 개인의 업무에 관하여 제21조의 어느 하나에 해당하는 위반행위를 하면 그 행위자를 벌하는 외에 그 법인 또는 개인에게도 해당 조문의 벌금형을 과(科)한다. 다만, 법인 또는 개인이 그 위반행위를 방지하기 위하여 해당 업무에 관하여 상당한 주의와 감독을 게을리하지 아니한 경우에는 그러하지 아니하다.

제23조(과태료)

① 다음 각 호의 어느 하나에 해당하는 자에게는 1억 원 이하의 과태료를 부과한다.

1. 제11조에 따른 자료제출 요구에 따르지 아니한 자
2. 제12조 제1항에 따른 검사를 거부·방해 또는 기피한 자

② 제1항에 따른 과태료는 대통령령으로 정하는 바에 따라 금융위원회가 부과·징수한다.

한도초과보유주주의 요건(제5조 관련)

구분	요 건
1. 한도초과보유주주가 「금융위원회의 설치 등에 관한 법률」 제38조에 따라 금융감독원으로부터 검사를 받는 기관(제2호, 제3호 및 제7호에 해당하는 내국법인은 제외한다)인 경우	가. 해당 기관에 적용되는 재무건전성에 관한 기준으로서 금융위원회가 정하는 기준을 충족할 것 나. 금융거래 등 상거래를 할 때 약정한 날짜까지 채무를 변제하지 아니한 자로서 금융위원회가 정하는 자가 아닐 것 다. 승인신청하는 내용이 제8조 제1항에 적합할 것 라. 승인신청 시 제출한 서류에 따라 인터넷전문은행의 지배주주로서 적합하고 그 인터넷전문은행의 건전성과 금융산업의 효율화에 기여할 수 있음을 확인할 수 있을 것 마. 다음의 요건을 충족할 것. 다만, 해당 위반 등의 정도가 경미하다고 금융위원회가 인정하는 경우는 그러하지 아니하다. 　1) 최근 5년간 「금융산업의 구조개선에 관한 법률」에 따라 부실금융기관으로 지정되었거나 금융관련법령에 따라 영업의 허가·인가 등이 취소된 기관의 최대주주·주요주주(의결권 있는 발행주식 총수의 100분의 10을 초과하여 보유한 주주를 말한다) 또는 그 특수관계인이 아닐 것. 다만, 법원의 판결로 부실책임이 없다고 인정된 자 또는 부실에 따른 경제적 책임을 부담하는 등 금융위원회가 정하는 기준에 해당하는 자는 제외한다. 　2) 최근 5년간 금융관련법령, 「독점규제 및 공정거래에 관한 법률」상의 불공정거래행위 및 특수관계인에 대한 부당한 이익제공의 금지규정을 위반하거나 「조세범 처벌법」 또는 「특정경제범죄 가중처벌

구분	요 건
	등에 관한 법률」을 위반하여 벌금형 이상에 해당하는 형사처벌을 받은 사실이 없을 것 바. 한도초과보유주주가 「독점규제 및 공정거래에 관한 법률」에 따른 기업집단에 속하는 경우에는 초과보유 승인이 경제력 집중을 심화시키지 않을 것. 금융과 정보통신기술의 융합 가능성을 감안하여 대통령령으로 정하는 정보통신업 영위 회사의 자산총액 합계액이 해당 기업집단 내 비금융회사의 자산총액 합계액에서 상당한 비중을 차지할 것 등 대통령령으로 정하는 요건을 갖출 것
2. 한도초과보유주주가 「자본시장과 금융투자업에 관한 법률」에 따른 투자회사·투자유한회사·투자합자회사 및 투자조합인 경우	가. 비금융주력자인 동일인에 속하는 집합투자업자(「자본시장과 금융투자업에 관한 법률」 제8조 제4항에 따른 집합투자업자를 말한다)에 자산운용을 위탁하지 아니할 것 나. 제1호 나목부터 바목까지의 요건을 충족할 것
3. 한도초과보유주주가 기금등인 경우	제1호 나목부터 마목까지의 요건을 충족할 것
4. 한도초과보유주주가 제1호, 제2호, 제3호 및 제7호 외의 내국법인인 경우	가. 부채비율(최근 사업연도 말 현재 대차대조표상 부채총액을 자본총액으로 나눈 비율을 말한다. 이하 같다)이 100분의 200 이하로서 금융위원회가 정하는 기준을 충족할 것 나. 해당 법인이 「독점규제 및 공정거래에 관한 법률」에 따른 기업집단에 속하는 회사인 경우에는 해당 기업집단(「은행법」 제2조 제1항 제9호 가목에 따른 비금융회사로 한정한다)의 부채비율이 100분의 200 이하

구분	요 건
	로서 금융위원회가 정하는 기준을 충족할 것
	다. 주식취득 자금이 해당 법인이 최근 1년 이내에 유상 증자 또는 보유자산의 처분을 통하여 조달한 자금 등 차입금이 아닌 자금으로서 해당 법인의 자본총액 이 내의 자금일 것
	라. 제1호 나목부터 바목까지의 요건을 충족할 것
5. 한도초과보유 주주가 내국인으로서 개인인 경우	가. 주식취득 자금이 제1호에 따른 기관으로부터의 차입 금이 아닐 것
	나. 제1호 나목부터 마목까지의 요건을 충족할 것
	다. 해당 개인이 「독점규제 및 공정거래에 관한 법률」에 따른 기업집단을 지배하는 경우에는 초과보유 승인 이 경제력 집중을 심화시키지 않을 것, 금융과 정보 통신기술의 융합 가능성을 감안하여 대통령령으로 정하는 정보통신업 영위 회사의 자산총액 합계액이 해당 기업집단 내 비금융회사의 자산총액 합계액에 서 상당한 비중을 차지할 것 등 대통령령으로 정하는 요건을 갖출 것
6. 한도초과보유 주주가 외국인인 경우	가. 외국에서 은행업, 투자매매업·투자중개업, 보험업 또는 이에 준하는 업으로서 금융위원회가 정하는 금 융업을 경영하는 회사(이하 "외국금융회사"라 한다) 이거나 해당 외국금융회사의 지주회사일 것
	나. 자산총액, 영업규모 등에 비추어 국제적 영업활동에 적합하고 국제적 신인도가 높을 것
	다. 해당 외국인이 속한 국가의 금융감독기관으로부터 최근 3년간 영업정지 조치를 받은 사실이 없다는 확 인이 있을 것
	라. 최근 3년간 계속하여 국제결제은행의 기준에 따른 위 험가중자산에 대한 자기자본비율이 100분의 8 이상 이거나 이에 준하는 것으로서 금융위원회가 정하는 기준에 적합할 것

구분	요 건
	마. 제1호 나목부터 바목까지의 요건을 충족할 것
7. 한도초과보유 주주가 경영참여형 사모집합투자 기구등인 경우	경영참여형 사모집합투자기구의 업무집행사원과 그 출자지분이 100분의 30 이상인 유한책임사원 및 경영참여형 사모집합투자기구를 사실상 지배하고 있는 유한책임사원이 다음 각 목의 어느 하나에 해당하거나 투자목적회사의 주주나 사원인 경영참여형 사모집합투자기구의 업무집행사원과 그 출자지분이 100분의 30 이상인 주주나 사원 및 투자목적회사를 사실상 지배하고 있는 주주나 사원이 다음 각 목의 어느 하나에 해당하는 경우에는 각각 다음 각 목의 구분에 따른 요건을 충족할 것 가. 제1호의 기관인 경우: 제1호의 요건을 충족할 것 나. 제2호의 투자회사 · 투자유한회사 · 투자합자회사 및 투자조합인 경우: 제2호의 요건을 충족할 것 다. 제3호의 기금등인 경우: 제3호의 요건을 충족할 것 라. 제4호의 내국법인인 경우: 제4호의 요건을 충족할 것 마. 제5호의 내국인으로서 개인인 경우: 제5호의 요건을 충족할 것 바. 제6호의 외국인인 경우: 제4호 가목(외국금융회사는 제외한다) · 다목(외국금융회사는 제외한다) · 라목 및 제6호 나목부터 라목까지의 요건을 충족할 것

비 고

1. 최대주주 또는 주요주주를 판정할 때에는 해당 주주 및 그 특수관계인이 보유하는 의결권 있는 주식을 합산한다.

2. 자본총액을 산정할 때에는 최근 사업연도 말 이후 승인신청일까지의 자본금의 증가분(자본총액을 증가시키는 것으로 한정한다)을 포함하여 계산할 수 있다.

3. 기업집단에 속하는 비금융회사 전체의 부채비율을 산정할 때 해당 기업집단이 「주식회사의 외부감사에 관한 법률」에 따른 연결재무제표 작성 대상 기업집단인 경우에는 결합재무제표에 의하여 산정한 부채비율을 말한다.

4. 이 표 제6호를 적용하는 경우 한도초과보유주주인 외국인이 지주회사여서 이 표 제6호 각 목의 전부 또는 일부를 그 지주회사에 적용하는 것이 곤란하거나 불합리한 경우에는 그 지주회사가 인가 신청할 때 지정하는 회사(그 지주회사의 경영을 사실상 지배하고 있는 회사 또는 그 지주회사가 경영을 사실상 지배하고 있는 회사만 해당한다)가 이 표 제6호 각 목의 전부나 일부를 충족하면 그 지주회사가 그 요건을 충족한 것으로 본다.

5. 이 표 제7호를 적용하는 경우 이 표 제1호 다목의 요건을 충족하는지를 판단할 때에는 다음 각 목의 어느 하나에 해당하는 자는 은행법 시행령 제1조의4 제1항에도 불구하고 경영참여형 사모집합투자기구등의 특수관계인으로 본다.

   가. 경영참여형 사모집합투자기구 출자총액의 100분의 10 이상의 지분을 보유하는 유한책임사원인 비금융주력자

   나. 다른 상호출자제한기업집단(「독점규제 및 공정거래에 관한 법률」에 따른 상호출자제한기업집단을 말한다. 이하 같다)에 속하는 각각의 계열회사 (「독점규제 및 공정거래에 관한 법률」에 따른 계열회사를 말한다. 이하 같다)가 보유한 경영참여형 사모집합투자기구의 지분의 합이 경영참여형 사모집합투자기구 출자총액의 100분의 30 이상인 경우, 해당 경영참여형 사모집합투자기구의 유한책임사원 또는 업무집행사원이 아닌 무한책임사원으로서 상호출자제한기업집단에 속하는 계열회사. 다만, 서로 다른 상호출자제한기업집단 사이에는 특수관계인으로 보지 아니 한다.

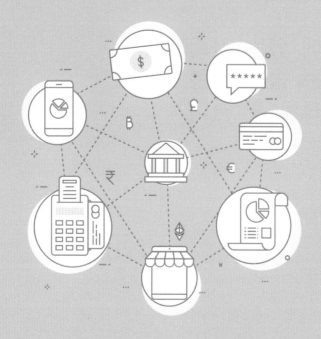

제 **3** 편

핀테크와 규제완화

01

미국에 있는 가족에게
보내는 송금 관련 수수료…
핀테크로 확 줄여

 몇 년 전 회사의 지원으로 1년간 미국에서 공부할 기회를 얻었다. 우리 회사에서는 매년 몇 명의 변호사를 선발하여 미국으로 유학 보내고 있었기 때문에 필자의 선배는 1년간의 유학을 마치고 돌아와야 하는 상황이었고, 상당한 달러를 보유하고 있었다. 이에 필자는 선배로부터 남은 달러를 받는 대신 한국에 있는 필자의 계좌에서 선배 계좌로 수수료 한 푼 들이지 않고 당시 기준 환율로 계산한 원화 상당액을 보내주었다.

 이러한 거래를 통해 필자와 선배는 원-달러 교환으로 인한 환차손을 줄일 수 있었을 뿐만 아니라 한국과 미국 금융기관에 각 부담해야 하는 수수료도 절약할 수 있었다. 이 금액이 도합 몇십만 원은 되었던 것 같다. 이와 같은 고객의 니즈가 많다는 사실을 확인한 영국의 '트랜스퍼와이즈'라는 회사는 국내와 해외 거주자의 수요를 모아

서로 연결해 줌으로써 금융기관을 통하지 않고 심지어 해외로 돈이 오고 가지도 않는 외화송금서비스를 제공함으로써 소위 말하는 대박을 터트렸다. 필자는 몇 년 전 '트랜스퍼와이즈'를 알고 나서 그 번뜩이는 아이디어에 무릎을 탁 쳤다. 그럼 이런 외화송금서비스를 제공하는 '트랜스퍼와이즈'라는 회사가 우리나라에서 서비스를 제공하는 것은 문제가 없을까?

⚙ 불법에서 합법으로

정답부터 말하자면 2017. 7. 18. 이전까지는 불법이고, 2017. 7. 18.부터는 합법이다. 과거 외국환거래법 상으로는 환전을 제외한 외국환 송금 등 외국환업무를 인가받은 금융회사만이 할 수 있었다. 연간 10조 원이 넘는 개인 외화송금 시장에서 독점권을 줌으로써 외국환은행은 땅집고 헤엄치기식 영업으로 막대한 외환차익 및 수수료를 얻을 수 있었던 것이다.

이에 기획재정부는 외국환은행이 아니더라도 소액에 한해 외화송금업을 할 수 있게 허용하는 내용으로 외국환거래법을 개정하였고, 개정법은 2017. 7. 18.부터 시행 중이다. 전세계 외환 관련 핀테크 투자규모는 2008년 10억 달러에서 2014년 120억 달러를 상회하는 규모로 급격하게 증가하고 있고, 일본의 경우에도 2010. 4.부터 건당 100만엔 이하 송금은 금융청에 등록한 자금이동업체가 할 수 있도록 허용하는 등의 전 세계적인 변화가 외국환거래법 개정의 이유였다. 기획재정부는 새로운 외국환거래법 시행으로 핀테크(Fintech)와 같은 새로운 시장의 요구를 수용하고 금융 산업 전반의 신성장 동력을 제공할 수 있을 것으로 기대하였다.

⚙ 변화에 대응하는 은행들 … 해외송금 수수료 확 낮춰

「외국환거래법」 개정 이후 카카오뱅크가 기존 은행권의 약 10분의 1 수준의 수수료를 받고 소액외화송금을 실시하기 시작하였다. 2019. 1. 1.에는 외국환거래규정을 개정하여 은행 이외에도 증권사·카드사 등에 대해서도 소액해외송금업무를 허용하였다. 2019. 10. 8.에는 소액해외송금 업체의 자본금 요건을 20억 원 이상에서 10억 원 이상으로 완화함과 동시에, 기존 3,000달러였던 1회 소액해외송금 한도를 5,000달러로 늘리는 「외국환거래법 시행령」이 시행되었다.

이처럼 해외송금과 관련한 규제가 일제히 풀리자 긴장한 기존 은행들도 외화송금 수수료를 낮춤과 동시에 여타 소액해외송금 업체와 달리 자신들은 해외송금의 한도가 없음을 장점으로 내세우고 있다. 국내 주요 은행들은 글로벌 MTO(Money Transfer Operator), 해외 지점 또는 해외 법인을 이용하여 과거 1회당 몇 십 불씩까지 받던 해외 송금 수수료를 5,000원 이하로 획기적으로 낮춘 상품들을 속속 내놓고 있다. 규제 완화로 인한 시장의 확대로 2019년 1분기 소액해외송금 업체의 전체 송금액은 3억 6,500만 달러로 2017년 4분기 1,400만 달러와 비교해 26배나 증가하였다[14]. 핀테크 기업 육성을

---

14) 〈뉴스토마토〉, 2019. 9. 25.(은행권, 소액외화송금 경쟁 격화.. 국민·농협은행 등 잇단 송금 수수료 인하 단행 … "뱅킹앱 점유 위해 손해도 감수")

위해 허용한 소액외화송금 서비스가 과다경쟁 상황으로 몰리는 현상마저 보이고 있다. 업계의 과다경쟁 논란과는 별개로 과거 은행권의 땅 짚고 헤엄치기식 영업방식과 비교해 봤을 때 금융소비자들에게 혜택이 돌아간 것은 분명해 보인다.

미국 유학 당시 한국계 은행 L.A.지점에서 필자의 한국계좌에 있는 돈을 인출하려고 하자 미국 현지법인은 한국법인과 전산망을 공유하고 있지 않아서 돈을 인출해 줄 수 없다는 황당한 답변을 들은 것이 엊그제 같은데 이러한 변화는 놀랍기만 하다. 이처럼 규제를 해소하고 독점적 권한을 축소하고 경쟁을 촉진시키자 기존 금융기관이 맨 먼저 변화하였고, 이로 인하여 금융소비자들이 혜택을 받게 된 것이다.

⚙ 자금세탁 등의 목적에 이용되는 것을 막기 위한 안전장치 시행

하지만 소액해외송금업이 자금세탁이나 해외자금 불법유출 등에 악용될 여지도 있으므로 이에 대한 대책은 필수적이다. 「특정 금융거래정보의 보고 및 이용 등에 관한 법률」(이하 '특정금융정보법')에서는 소액해외송금업자에게 고객의 신원, 실제소유자, 금융거래 목적 등 고객정보 확인을 의무화하고 100만 원(또는 그에 상응하는 다른 통화로 표시된 금액) 초과 송금시 송금인·수취인의 성명·계좌번호 등을 송금받는 금융기관에게 제공하도록 의무화하고 있다.

만일 고객의 금융거래가 불법재산이거나 자금세탁 또는 테러자금 조달로 의심할 만한 합당한 근거가 있을 경우 그 거래내역을 금융정보분석원(FIU)에 보고하도록 하는 내용도 새롭게 도입하였다.

또한, 「금융실명거래 및 비밀보장에 관한 법률」(이하 '금융실명법')에 따른 실명확인 절차를 거치도록 하였으며, 다만 매 거래 시마다 실명확인 절차를 거치도록 하는 것은 너무 과도하다는 지적 하에 타 금융기관과 정보를 공유하기 위한 별도의 계약을 체결한다면 처음 금융거래를 개시할 때만 실명확인하고 그 다음 추가 송금부터는 기존에 공유된 송금정보를 활용해 실명확인 절차를 생략할 수 있도록 하였다.

이와 같은 의무부과가 예상보다 과도하여 소액해외송금업에 새롭게 진입하려는 핀테크 업체들의 진입을 사실상 막는다는 비판도 제기되고 있으나, 자금세탁 등의 우려는 여전한 상황에서 외국환은행의 독점적 권한을 빼앗은 만큼, 이에 대한 대책 없이 무조건적인 소액해외송금업을 허용하라고 요구할 수는 없는 노릇이라 할 것이다.

외국환은행이 아닌 일반 기업에게 해외송금업을 허용한 것 자체가 엄청난 변화라는 점을 상기한다면 우리 금융당국의 위와 같은 우려와 고민을 이해할 수 있을 것이다. 필자 개인적으로는 위와 같은 안전장치들은 반드시 필요한 합당한 조치이지 사업에 무리를 줄 정도의 과도한 부담이라고 생각하지 않는다.

⚙ 전자지급결제대행업자(PG)의 외국환 업무 허용

그 밖에도 2015. 7. 1.부터 시행된 「외국환거래법 시행령」은 '전자
지급결제대행업자(Payment Gateway, PG)'로 하여금 외국환 업무
를 할 수 있게 허용함으로써 국내 PG들의 해외 온라인 쇼핑 결제가
가능해졌다. 개정 전에는 PG사들에 외국환 업무를 허용하고 있지
않았기 때문에 중국 소비자들은 국내 기업의 물건을 사려는 경우 어
쩔 수 없이 중국계 PG사인 알리페이 등과 계약이 체결된 업체에서
만 물건을 살 수 있었다. 따라서 알리페이 등과 직접 가맹점 계약을
맺기 어려운 중소 인터넷 쇼핑몰 사업자들은 해외 고객을 유치하기
어려웠으나, 국내 PG사들에 외국환 업무를 허용해주자 이들 PG사
와 가맹계약을 맺은 중소 인터넷 쇼핑몰 사업자들도 해외 고객 유치
가 가능해졌다. 또한 과거에는 해외 사이트를 이용한 직구의 경우
반드시 해외겸용 카드를 사용하면서 VISA나 마스타카드 등 글로벌
카드사에 별도의 수수료를 지급해야 했지만, 국내 PG가 해당 해외
사이트와 제휴되어 있기만 하면 국내 전용 카드로도 결제가 가능하
게 되었다[15].

---

15) 2015년 6월 「외국환거래법 시행령」 개정안을 내놓은 기획재정부에서는 해외
직구 시 국내 전용 신용카드를 사용할 수 있게 함으로써 비자나 마스타 같은
글로벌 카드사에 지급하는 연 200억 원 규모의 수수료 부담이 줄어들 것이라
는 전망을 내놓기도 했다[〈조선비즈〉, 2015. 6. 25.(7월부터 PG사에도 외국
환 업무 허용)].

02

4차 산업혁명의
절대강자 … 미국, 중국

2017. 6. 매일경제신문과 고려대학교 컴퓨터정보통신대학원 최고위정보통신과정(ICP)이 공동 주관한 '매경 상해 MWC 2017 & 선전 혁신참관단'의 일원으로 중국 항저우에 있는 알리바바 본사와 중국 상하이에서 열린 MWC Shanghai 2017 및 중국의 벤처 스타트업 회사 등을 방문하였다. 중국은 엄청난 속도로 4차 산업혁명을 주도하고 있었고, 그들의 열기와 도전은 필자를 포함하여 함께한 교수님들과 기업가 및 전문가들 모두에게 새로운 충격이었다. 중국은 우리의 상상 이상으로 민첩하게 새로운 세상을 준비하고 있었으며, 이에 우리가 조금이라도 방심하다가는 어느새 중국에게 한참 뒤처질지도 모른다는 위기감이 들었다.

⚙ 새로운 세상을 준비하는 알리바바

지난 여정에서 특히 인상 깊었던 부분은 알리바바 본사 방문이었다. 중국 항저우에 있는 알리바바 본사에서 한국인 팀장으로부터 알리바바의 현황 및 신사업에 대한 전략 등을 들을 수 있는 좋은 기회를 얻었다. 2016년 기준 알리바바를 통한 상품거래대금이 3조 위안(우리 돈으로 약 500조 원)을 넘어섰다고 한다. 알리바바는 B2B 시장을 중심으로 한 알리바바, 우리나라 G마켓이나 옥션과 같은 오픈마켓인 타오바오(Taobao), 온라인쇼핑몰 티몰(Tmall), 전자결재시스템인 알리페이(Alipay)로 유명한 앤트그룹(Ant Group), 크라우드서비스를 제공하는 알리윤(Aliyun) 등을 보유하고 있다. 최근에는 TV프로그램이나 영화 등 컨텐츠를 공급하는 유쿠(YouKu)를 인수하였고, 인터넷은행인 마이뱅크(MyBank)도 설립하였으며, 우리의 카카오톡과 같은 SNS 메신저 라이왕(Laiwang)도 자회사로 두고 있다. 중국인들의 인터넷과 관련한 모든 생활을 알리바바가 장악하고 있다는 것을 느낄 수 있었다.

알리바바는 어느 누구보다 발 빠르게 온라인과 모바일 시장에 주목하고 이들 분야에 선제적으로 투자하였으며 이로 인하여 전 세계에서 성장속도가 가장 빠른 회사 중 하나가 되었다. 회사의 주력분야 및 신사업 측면에서 미국의 아마존과 중국의 알리바바는 거의 닮아 있으며, 서로가 서로를 벤치마킹하고 있는 느낌이다.

알리바바의 인터넷은행 마이뱅크는 전자상거래 결제내역, 신용카드 연체, 통신 및 각종 요금납부 여부, 가입한 재테크 상품 등 알리바바의 여러 계열회사를 통해 모은 신용정보 빅데이터를 분석하여 개인 또는 기업의 상환능력을 자체 검토한 뒤 나름의 신용등급을 부여하고 있다가 고객이 대출을 요청하면 이러한 빅데이터에 기반하여 몇 시간 내에 대출 승인 여부를 결정한다고 한다. 반면 필자는 중국에서 돌아온 다음날 '은산분리' 규제로 인해 추가 증자에 실패한 케이뱅크가 대출자금부족으로 직장인 신용대출 상품 판매를 중단하기로 했다는 소식을 접하기도 했다.

◎ 미국은 자타공인 핀테크 최고 강국

글로벌 회계법인인 KPMG는 2018년 전세계 100대 핀테크 기업을 발표했는데, 이 중 19개 회사가 미국 회사였다. 다음으로 호주, 중국, 영국 순이었다. 우리나라 회사는 1개 업체로 토스를 운영하고 있는 비바리퍼브리카(VivaRepublica)였다[16].

미국의 핀테크 기업이 단연 많은 것은 미국의 금융산업이 세계 그 어느 나라보다 발전되어 있고 금융자유도 또한 아래 표[17]에서 보는 바와 같이 매우 높기 때문일 것이다. 나아가 실리콘밸리를 포함한 ICT기업들에 대한 과감한 투자환경도 주요한 이유 중 하나일 것이다. 이와 같은 기업환경과 가치관뿐만 아니라 미국의 네거티브 규제

---

16) KPMG 홈페이지 (https://home.kpmg/content/dam/kpmg/at/pdf/presse/fintech100-2018-report.pdf)
17) 강맹수, 핀테크 산업의 국내외 현황과 시사점, 산은조사월보 제754호, 2018. 9., 96쪽

제도도 새로운 핀테크 산업의 부흥에 일조한 것으로 생각된다.

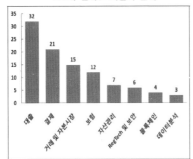

국가	100대 기업수	금융자유도
미국	19	80
캐나다	6	80
영국	8	80
호주	10	90
일본	1	60
한국	1	70
싱가포르	2	80
중국	9	20

자료 : KPMG(2018)   자료 : KPMG(2018), 헤리티지재단

미국은 핀테크라는 신산업에 대한 별도의 규제가 없는 상황에서 기존 규제시스템을 활용하여 필요 최소한으로 규제함으로써 신산업이 성장할 수 있는 환경을 조성하여 전 세계 핀테크 산업을 선도하고 있다. 이와 같은 핀테크 성장 환경은 미국의 네거티브 규제와도 맞물려 있다. 법으로 할 수 있는 행위와 서비스 등을 정해놓은 우리나라에 비해 미국은 무엇이든 가능하지만 일정한 기준을 넘어서는 행위에 대해서만 규제하겠다는 네거티브(Negative) 규제 제도를 취하고 있기 때문에 핀테크와 같은 신산업 육성에 보다 적합하다는 장점이 있다.

또한 미국은 핀테크 시장환경과 기존 산업규제의 간극을 메우고, 핀테크산업을 지원하기 위해 유관 부처들이 전담조직을 신설하고 기관간 협조체제를 구축하는 등 체계적인 지원 시스템을 갖추고 있다. 미국 금융감독당국은 핀테크산업에 대해 기본적으로는 육성정책을 유지하되, 신산업의 특성상 정책효과 예측이 어려운 점을 감안하여 대규모 소비자 피해 등이 발생할 수 있는 부분에 대해서는 투자자 보호 등의 관점에서 보수적으로 접근하고 있으며[18] 금융질서를 위반하는 행위에 대해 철저하게 감독함으로써 금융기관의 건전성을 유지해 나가고 있다[19].

⚙ 우리나라의 4차 산업혁명에 대한 준비는?

이와 같이 ICT와 IoT 등을 선도하고 있는 미국이나 중국에 비해 우리나라는 4차 산업혁명을 어떻게 준비하고 있는가?

아직까지 세계시장에 딱히 내세울 만한 인터넷 쇼핑몰이나 SNS, 핀테크 회사가 없다. 앞서 말한 비바리퍼블리카가 세계 100대 핀테크 기업 중 하나로 올라있고, 그나마 다음카카오, 네이버 등이 선전하고 있지만 미국과 중국의 대표 기업들에 비하면 턱없이 부족한 수준이며, 국제적인 인지도를 놓고 본다면 비교대상이 되지 않는다. 우리나라는 지금까지 삼성전자, 현대자동차 등 제조회사들의 성공에 심취하여 인터넷과 모바일에 기반한 새로운 산업에 대한 투자와 준비가 부족했던 것 같다.

---

18) "미국의 핀테크 관련 규제 주요내용 및 시사점", 워싱턴사무소 조사연구자료 제16쪽 (금융감독원 홈페이지http://www.fss.or.kr/fss/kr/bbs/view.jsp?page=9 &url=/fss/kr/1537404631244&bbsid=1537404631244&idx=1553559652270&n um=44&stitle=[조사자료] 미국의 핀테크 관련 규제 주요내용 및 시사점)

19) 강병진, 국내 핀테크 활성화 방안 연구 : 해외 사례를 중심으로, 고려대학교 정책대학원 석사학위논문, 2015. 12., 제22쪽

게다가 우리나라에서 개인정보 및 신용정보는 절대적으로 보호되어야 하는 그 무엇이라는 강박관념에 사로잡혀 기업들로 하여금 이를 활용하는 길을 막아 놓고 있을 뿐만 아니라, 금융사고가 발생해서는 안 된다는 생각에 인터넷 결재 등 비대면 결재에 많은 장애물들을 배치하여 편의성을 떨어뜨리고 있다. 금융사도 막상 금융사고가 발생하면 즉각적인 손해배상을 해 주기보다는 소비자들을 몇 년이 걸릴지도 모르는 소송으로 떠밀고 있다. 중국과 우리나라의 4차 산업혁명 준비에 관한 현주소이다.

⚙ 아직 포기하기엔 이르다

하지만 아직까지 희망은 있다. 우리나라는 전 세계 어느 나라보다 빠른 유·무선 인터넷망을 구축하였으며, 국민 대다수가 고성능 스마트폰을 능숙하게 다룰 수 있는 전 세계 몇 안 되는 나라 중 하나이다. 게다가 상품 제조에 있어 어느 나라보다 강한 면모를 보이고 있다. 많은 ICT 기업들이 내놓은 혁신들도 알고 보면 과거 오프라인에서 이루어진 서비스들을 온라인과 연계함으로써 편의성을 높인 것들이 대부분이기 때문에 우리 또한 이 분야에 충분한 잠재력이 있다.

게다가 인터넷을 기반으로 한 ICT, IoT 관련 사업의 경우 큰 자본이 필요하지도 않고, 국경의 장벽도 없다. 소비자가 정말 필요로 하는 니즈를 찾아내고 이에 최적화한 서비스를 제공하는 플랫폼을 만들고, 이와 같은 훌륭한 서비스의 존재를 알리는 마케팅에 주력한다면 조금은 뒤처진 4차 산업혁명의 경쟁에서 충분히 만회할 기회가 있을 것이라고 생각된다.

뒤에서 자세히 살펴보겠지만 2020. 8. 5.부터 이른바 '데이터 3법'
이라고 불리는 「개인정보보호법」, 「신용정보의 이용 및 보호에 관한
법률」, 「정보통신망 이용촉진 및 정보보호 등에 관한 법률」의 개정
법률안이 시행되면서 마이데이터 산업의 촉진 기회가 생겨났고, 공
인인증서를 아예 폐기하는 「전자서명법」이 2020. 12. 10.부터 시행되
면서 블록체인, 생체인증, 핸드폰 인증 등 신기술 기반의 다양한 전
자서명 서비스가 등장하고 있다.

규제완화가 이루어지자마자 새로운 서비스를 내놓는 IT 기업들의
아이디어와 기술력이 놀랍기만 하다. 대한민국의 미래가 기대되는
이유는 이와 같이 디지털 시대에 민첩하게 대응하는 젊은 피들이 너
무도 많기 때문이다. 4차 산업혁명을 주도하는 기업을 육성하기 위
해서는 우리 정부와 금융기관들도 발 벗고 나서서 도와야 한다. 먼
저 이들 벤처 창업가들에게 초기 창업자금을 투자할 수 있는 분위기
를 조성하고 그들이 전 세계를 상대로 서비스를 제공할 수 있도록
다양한 물적·인적 지원을 아끼지 말아야 하며, 불필요한 규제도 풀
어야 한다. 무엇보다도 이들이 실패하더라도 주홍글씨로 낙인을 찍
는 문화가 아니라 새로운 아이템으로 재기할 수 있는 기회를 주는
문화를 만들어야 한다. 공무원 증원을 통한 고용 창출보다는 4차 산
업혁명과 관련한 민간 기업 육성이 장기적으로 국가의 경쟁력 향상
에 훨씬 이바지할 수 있다. 더 이상 미룰 시간이 없다.

03

개인정보 활용과
빅데이터 산업

⚙ 핀테크 산업에서 개인정보 활용의 중요성

9시 뉴스를 전후한 황금시간 대에 최고의 몸값을 자랑하는 연예인 광고에 기업들이 엄청난 돈을 쏟아 부었으며, 소위 '조중동'이라고 불리는 메이저 신문사 1면 광고의 광고료도 부르는 것이 값인 시절이 있었다. 아주 오래 전 이야기 같지만, 사실 아이폰이 세상에 처음 나온 10여년 전만 하더라도 광고 시장에서 지상파 TV와 신문사의 역할은 거의 절대적이었다고 할 수 있다. 하지만, 요즈음 9시 뉴스를 보기 위해 TV 앞에 앉아 있는 사람들은 거의 없으며, 종이 신문으로 아침을 시작하는 사람들보다는 핸드폰 포털뉴스로 아침을 시작하는 사람들의 숫자가 훨씬 더 많다. 특히 젊은 층일수록 네이버보다는 유튜브, 인스타그램 등 동영상 검색 사이트를 통한 검색을 더 많이 한다.

9시 뉴스를 보는 사람들이 어떤 부류의 사람이고 그들이 특히 좋아하거나 관심 있는 내용들을 전혀 알지도 못한 상태에서 일방적인

정보만을 제공하는 것은 광고에 전혀 효과적이지 않고 쓸데없는 비용만 많이 들 뿐이다. 물론 과거에도 9시 뉴스를 보는 사람들이 주로 40~50대의 직장인이라는 전제 하에 그들이 관심가질 만한 상품을 광고하는 전략을 펴기는 했지만 이는 많은 데이터를 이용한 방식은 아니었고, 일반적인 경향에 대한 분석이었을 뿐이다.

하지만, 최근 IT 산업이 발달하면서 엄청난 양의 정보를 저장, 분석할 수 있는 설비를 쉽게 갖출 수 있게 되면서 사람들의 행동패턴이나 관심사항을 분석하는 것도 예전보다 훨씬 쉽게 가능해지게 되었다. 소위 '빅데이터'를 이용한 타켓 마케팅이 가능해진 것이며, 이와 같은 '빅데이터' 활용은 비단 광고업계뿐만 아니라 다양한 산업 분야에서 광범위하게 이루어지고 있다. 세계적인 IT, 통신분야 컨설팅펌인 IDC(International Data Corporation)은 2017년도 보고서에서 빅데이터 및 분석 시장이 2016년 대비 12.4% 성장해 1,508억 달러(171조 5,651억 원) 규모에 이른다고 보고하고, 이 시장은 2022년에는 2,600억 달러(295조 6,200억 원) 규모에 이를 것이란 전망을 발표했다[20]. 한국 IDC는 2019년 연구보고서에서 국내 빅데이터 및 분석 시장이 2018년 대비 10.9% 증가한 1조 6,744억 원 규모이며, 2023년에는 2조 5,692억 원 규모에 이를 것으로 전망했다[21]. 글로벌 시장과 비교하면 아직 우리나라가 가야할 길이 멀다. 폭발적으로 증가하는 '빅데이터' 산업을 위해 글로벌 기업들은 데이터 분석 역량을

---

20) 2019. 1. 16.자 아주경제 기사 (https://www.ajunews.com/view/20190116095
345172)

21) IDC 홈페이지 (https://www.idc.com/getdoc.jsp?containerId=prAP45938720&utm
_medium=rss_feed&utm_source=Alert&utm_campaign=rss_syndication)

강화하고 전문가 육성에도 힘을 쏟고 있으며, 빅데이터 분석을 통한 수익성 증가 및 새로운 혁신 서비스도 만들어 내고 있다. 이는 소비자의 입장에서도 나쁘지 않다. 본인이 전혀 관심없는 광고를 보는 것은 시간 낭비일 뿐이라는 생각을 가지며 만일 광고를 봐야한다면 자신이 관심 있는 것들에 대한 보다 고급정보를 원하는 소비자들이 많아지고 있으며, 유튜브 등의 채널에서는 이와 같은 소비자들의 니즈를 파악하여 월정액을 내는 경우 광고를 스킵(Skip)할 수 있는 프리미엄 서비스도 제공하고 있고, 페이스북, 인스타그램 등 각종 SNS들은 사용자의 최근 검색 내역을 분석하여 각자가 관심을 가지고 있는 제품들에 대한 맞춤형 광고들을 실시간으로 보여주고 있다.

⚙ 카드 3사의 신용정보유출사태로 인한 트라우마

우리나라의 경우 아직까지 '빅데이터' 전문가도 부족할 뿐만 아니라 이를 수익모델로 연결하는 작업도 제대로 진행하지 못하고 있다. 특히 국내 공공부분과 금융부분은 다른 산업에 비하여 데이터 수집 및 보유량이 많고 그 증가속도도 빠르지만 아직 활용 측면에서는 걸음마 단계에 불과하다. '구슬이 서말이라도 꿰어야 보배'라는 옛 속담도 있듯이 많은 정보를 제대로 분석하고 활용하지 못한다면 이는 거대한 정보저장장치만을 잡아먹는 골칫덩이에 불과하다. 우리나라가 이처럼 '빅데이터' 활용에 대해 소극적인 이유는 여러 가지가 있을 수 있겠지만 그 중 대표적인 것이 2014년도에 터진 '카드 3사의 신용정보 유출사태'로 촉발된 '국민들 사이에 널리 퍼진 신용정보 유출에 대한 우려'라고 할 수 있다.

〈카드 3사 신용정보 유출사태의 진실〉

카드 3사 신용정보유출사태는 2014년 약 1억 9,600만 건의 개인정보 및 신용정보가 유출된 역대 최대의 개인정보 유출 사건으로, 우리 사회에 엄청난 파장을 던지고 개인정보 및 신용정보와 관련한 규제를 강화하게 된 계기가 된 사건이다. 그런데, 이 사건은 아이러니하게도 외부의 해킹으로 개인의 신용정보가 유출된 것이 아니라, 카드 3사에 용역을 제공해 주기 위해 들어간 파견 직원이 고의적으로 신용정보를 빼낸 것이다.

카드사는 신용정보업체 '코리아크레딧뷰로(KCB)'에게 많은 용역비용을 지급하고 FDS(Fraud Detection System의 약자, 카드부정사용방지시스템, 이하 'FDS'라고 합니다)의 업그레이드 업무를 맡겼다. FDS란 카드의 분실도난, 카드 위·변조에 의한 부정사용을 예방하기 위하여 과거의 정상적 사용 및 부정사용을 분석하여 일정한 승인패턴을 추출함으로써 현재의 승인내역이 정상사용인지 부정사용인지를 조기에 확인하여 부정사용을 적발하는 예방시스템을 말한다. 예를 들어 일반 고객이 물건 등을 골라 카드 결제까지 걸리는 시간에 비해 지나치게 짧은 시간 동안 이 점포, 저 점포에서 계속해서 카드 사용을 하거나, 여성 고객이 평소 카드를 사용하지 않던 유흥주점 등에서 카드를 사용하는 경우 등 Score 방식에 따른 사고 점수가 높은 카드 거래가 발생하는 경우 정상거래여부를 확인하고 사고로 확인될 경우 즉시 카드를 정지해 사고를 예방하는 시스템을 말한다.

위 FDS 용역 업무의 프로젝트매니저(PM)이던 박모씨가 카드 3사의 카드사의 전산망에 접근하여 개인정보 데이터를 획득한 뒤, 이를 자신의 USB에 저정하여 유출하여 광고대행사를 운용하는 모 지인에게 넘겼고, 유출된 정보는 대출중개업 등에 활용되었다.

이 사건으로 박모씨는 징역 3년의 실형을 선고 받았으며, 박모씨를 파견 보냈던 '코리아크레딧뷰로'는 3개월간 FDS 컨설팅 업무 신규 수임을 정지하도록 하는 행정처분을 받았으며, 카드 3사 또한 3개월간 일부 영업정지라는 역대 최고 수위의 행정처분을 부과받았다. 카드사들은 카드 재발급 비용으로 막대한 지출을 해야 했고, 정보유출의 피해자들이 원고나 이 사건 카드사들을 상대로 총 127건의 손해배상 청구소송을 제기하여 소가 합계 1,145억여 원에 달하는 민사소송이 진행되는 등 이 사건 정보유출로 인한 사회적, 경제적 손실이 막대하였다.

하지만, '카드 3사 신용정보 유출사태'에서 보여주는 바와 같이 신용정보는 어이없게도 신용정보를 다루는 내부자로부터 유출되었다. 사건의 장본인인 박모씨는 자신의 친구인 광고대행사 직원에게 1억 9,600만 건의 개인정보 및 신용정보를 단돈 1,200만 원에 넘겼다. 과연 박모씨가 개인정보 또는 신용정보의 중요성에 대해 누구보다 잘 인식하고 있었다면, 그리고 이러한 행위로 인하여 자신이 3년형을 선고받을 것이라고 예상했었다면 그 정도 돈을 받고 그 많은 정보들을 넘겼을지 의문이다.

필자를 포함한 대한민국 국민 대부분은 자신의 개인정보, 신용정보가 유출되어 불순한 의도를 가진 자에게 넘어가서 내 소중한 재산을 강탈하는 일이 발생하지 않을까 우려하고 각종 스팸문자 및 보이스피싱 등에 사용되지 않을까 걱정하고 있지만, 정작 각자의 개인정보들이 모여 재가공됨으로써 우리의 생활을 바꿀 수도 있다는 정보 수집의 긍정적인 측면은 잘 생각하지 못한다. 게다가 아이러니하게도 「개인정보 보호법」은 정보주체의 동의만 있으면 개인정보 수집·이용·제공에 아무런 제약이 없다.

이와 같은 개인정보 보호법 때문에 우리는 특정 서비스를 이용할 때마다 정보 활용에 동의하는 수많은 팝업창들과 마주하며 그 속에 든 깨알 같은 글자들을 제대로 읽어보지도 않은 채 기계적으로 '동의함'이라는 단추를 누르고 있는 것이다. 이처럼 정보주체에게 명시적인 동의를 받는 방식은 'Opt-in' 방식으로 우리나라와 유럽이 채택하고 있는 방식이며, 미국이 채택하고 있는 'Opt-out' 방식은 개인정보의 수집, 처리에 관하여 우편, 전자우편 등을 통해 정보주체에게 알리고 이에 대해 정보주체가 공식적으로 이의를 제기하지 않으면 개인정보 활용이 허용되는 방식이다. 이에 미국이 다른 나라에 비해 상대적으로 빅데이터의 수집 및 활용이 용이한 상황이다. 미국의 제도가 반드시 좋다 나쁘다의 의미보다는 제도를 정비하기에 앞서 개인정보 또는 신용정보를 대하는 인식의 전환이 필요하다는 것이 필자의 개인적인 의견이다.

빅데이터 산업을 활성화하기 위해 개인정보 보호는 무시되어야 한다고 주장하는 것도 아니다. 개인정보, 신용정보가 오·남용되는 경우 실제 재산적 피해가 발생하는 경우도 있으며, 가사 그렇지 않더라도 많은 소비자들은 스팸문자·이메일 등의 공해 속에 불편함을 겪는 문제들도 발생할 수 있다. 그렇다고 개인정보 보호를 너무

강조하여 황금알을 낳는 거위에 비유되는 거대한 빅데이터 시장에서 도태되어서도 안 될 것이다. 빅데이터 분석과 활용에 있어 개인정보가 적절하게 보호되면서도 침해가능성이 낮은 정보들은 자유롭게 활용될 수 있는 환경이 필요하다. 그리고 법적인 측면에서도 개인정보 보호와 빅데이터의 효율적 활용 사이에서 합리적인 접점을 찾는 것이 필요한 것이다.

그렇다고 개인정보 활용이나 빅데이터 산업에 대한 고민을 하지 않은 것은 아니다. 개인정보 활용과 관련한 다양한 시도들이 있었고 이러한 시도들의 결과물로 최근 '데이터 3법'의 개정이 이루어진 것이다. 이하에서는 우리나라의 개인정보 활용 및 금융 관련 빅데이터 산업과 관련한 정책과 법령의 변화과정을 살펴보기로 한다.

⚙ 한국의 개인정보 또는 신용정보 관련 법규들

우리나라의 대표적인 개인정보 또는 신용정보와 관련한 법률로는 「개인정보 보호법」, 「신용정보의 이용 및 보호에 관한 법률(이하 '신용정보법')」, 「정보통신망 이용촉진 및 정보보호 등에 관한 법률(이하 '정보통신망법')」을 들 수 있다. 「개인정보 보호법」은 일반법에 해당하고, 「신용정보법」, 「정보통신망법」은 특별법이라고 할 수 있다. 따라서 정보통신서비스 제공자에 대하여는 정보통신망법이 우선 적용되지만, 정보통신망법에 특별한 규정이 없고 개인정보 보호법과 상호 모순·충돌되지 않는 경우에는 개인정보 보호법이 적용된다. 개인정보 보호법 제2조 제1호의 개인정보 개념과 정보통신망법 제2조 제6호의 개인정보 개념 정의는 개인정보의 예시와 관련하여 일부 차이가 있을 뿐 동일한 내용을 규정하고 있으므로 사실상 동일한 개념이라고 볼 수 있으며, 개인정보가 아닌 것으로 추정되는 비식별 정보의 개념 또한 차이가 없다 할 것이다. 또한 「신용정보법」은 제3조의2 제2항에서 '개인정보의 보호에 관하여 이 법에 특별한 규정이 있는 경우를 제외하고는 「개인정보 보호법」에서 정하는 바에 따른다'라고 규정함으로써 이 법이 「개인정보 보호법」의 특별법임을 명시적으로 규정하고 있다. 「신용정보법」상의 개인신용정보와 개인식별정보는 금융거래 등에 사용되는 개인정보의 특수한 형태로 「개인정보 보호법」상의 개인정보의 개념은 「신용정보법」상의 개인신용정보 및 개인식별정보보다 포괄적인 개념이며, 따라서 「신용정보법」상의 개인신용정보와 개인식별정보는 당연히 「개인정보 보호법」상의 개인정보에 해당한다고 봐야 하며, 「개인정보 보호법」상의 개인정보가 아닌 것으로 추정되는 비식별 정보는 「신용정보법」에서도 개인정보가 아닌 것으로 추정된다.

「개인정보 보호법」에서는 특별한 공익적 목적이 없는 한 정보주체의 동의 없이 개인정보를 수집·이용·제공하지 못하도록 하고 있었으며, 이와 같은 제한은 앞서 말한 '빅데이터'를 생성하는데 상당한 어려움을 주고 있었다.

⚙ 법규를 강화하기보다는 개인정보에 대한 인식 전환이 우선

우리나라는 세계 어느 나라보다 강한 개인정보 보호에 관한 규제

법률을 가지고 있었다. 하물며 법률전문가인 필자도 그 의미가 모호하다고 느끼는 조문들이 많이 있으며 어떤 경우에는 너무 중복해서 규제하는 것은 아닌지 의구심이 드는 정도인데, 과연 개인정보를 다루는 많은 중소기업들이 「개인정보 보호법」, 「신용정보법」, 「정보통신망법」의 각 개별 규정들을 숙지하고 이에 따라 개인정보와 신용정보를 다루고 있을지 의문이다.

법률을 제정함에 있어 빈틈이 하나도 없이 세세하게 규정하고 행위규제를 한다고 하여 저절로 개인정보가 보호되지는 않는다. '카드 3사 신용정보 유출사태'에서 보여주는 바와 같이 신용정보는 어이없게도 신용정보를 다루는 내부자로부터 유출되었다. 사건의 장본인인 박모씨는 자신의 친구인 광고대행사 직원에게 1억 9,600만 건의 개인정보 및 신용정보를 단돈 1,200만 원에 넘겼다. 과연 박모씨가 개인정보 또는 신용정보의 중요성에 대해 누구보다 잘 인식하고 있었다면, 그리고 이러한 행위로 인하여 자신이 3년형을 선고받을 것이라고 예상했었다면 그 정도 돈을 받고 그 많은 정보들을 넘겼을지 의문이다.

나를 포함한 대한민국 국민 대부분은 자신의 개인정보, 신용정보가 유출되어 불순한 의도를 가진 자에게 넘어가서 내 소중한 재산을 강탈하는 일이 발생하지 않을까 우려하고 각종 스팸문자 및 보이스피싱 등에 사용되지 않을까 걱정하고 있지만, 정작 각자의 개인정보들이 모여 재가공됨으로써 우리의 생활을 바꿀 수도 있다는 정보수집의 긍정적인 측면은 잘 생각하지 못한다. 게다가 아이러니하게도 개인정보 보호법은 정보주체의 동의만 있으면 개인정보 수집·이용·제공에 아무런 제약이 없다.

이와 같은 개인정보 보호법 때문에 우리는 특정 서비스를 이용할 때마다 정보활용에 동의하는 수많은 팝업창들과 마주하며 그 속에 든 깨알 같은 글자들을 제대로 읽어보지도 않은 채 기계적으로 '동의함'이라는 단추를 누르고 있는 것이다. 이처럼 정보주체에게 명시적인 동의를 받는 방식은 'Opt-in' 방식으로 우리나라와 유럽이 채택하고 있는 방식이며, 미국이 채택하고 있는 'Opt-out' 방식은 개인정보의 수집, 처리에 관하여 우편, 전자우편 등을 통해 정보주체에게 알리고 이에 대해 정보주체가 공식적으로 이의를 제기하지 않으면 개인정보 활용이 허용되는 방식이다. 이에 미국이 다른 나라에 비해 상대적으로 빅데이터의 수집 및 활용이 용이한 상황이다. 미국의 제도가 반드시 좋다 나쁘다의 의미보다는 제도를 정비하기에 앞서 개인정보 또는 신용정보를 대하는 국민적 인식의 변화와 교육이 보다 절실히 필요하다는 생각이다.

빅데이터 분석과 활용에 있어 개인정보가 적절하게 보호되면서도 침해가능성이 낮은 정보들은 자유롭게 활용될 수 있는 환경이 필요하며, 법적인 측면에서도 개인정보 보호와 빅데이터의 효율적 활용 사이에서 합리적인 접점을 찾는 것이 필요해 보인다는 생각은 필자 혼자만의 생각이 아니라 많은 사람들이 공감하는 내용이었고, 이에 다음에서 보는 바와 같이 많은 논의들과 새로운 시도들에 이어 '데이터 3법' 개정이 이루어진 것이다.

⚙ 개인정보 비식별조치 가이드라인 시행

앞서 말한 바와 같이 기존 「개인정보 보호법」에 따르면 개인정보의 수집·이용·제공에 대한 제약으로 인하여 사실상 상업적 목적을 위한 개인정보의 활용은 매우 어려운 상황이었으며, 따라서 개인정보로 인정되지 않을 정도로 비식별화 조치를 취함으로써 위 「개인정보 보호법」의 제약을 피하기 위해 노력할 수 밖에 없었다. 그런데 그 다음으로 봉착하게 되는 문제점은 "그럼 어느 정도로 비식별화 조치가 이루어져야 개인정보로 보지 않느냐?"의 문제로 귀결되게 된다. 이러한 어려운 문제를 해결하기 위해 2016. 6. 국무조정실, 행정자치부, 방송통신위원회, 금융위원회, 미래창조과학부, 보건복지부 등 관계부처가 합동으로 '개인정보 비식별 조치 가이드라인'을 발표하였다. 이는 아래와 같이 4단계에 걸친 '비식별 조치 및 사후관리 절차'를 두고 있었다.

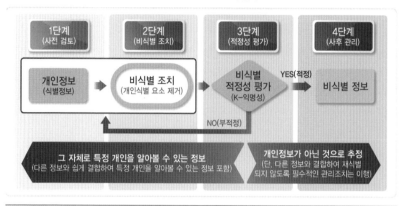

● 비식별 조치 및 사후관리 절차 ●

| 1단계
(사전 검토) | 2단계
(비식별 조치) | 3단계
(적정성 평가) | 4단계
(사후 관리) |

개인정보
(식별정보) → 비식별 조치
(개인식별 요소 제거) → 비식별
적정성 평가
(K-익명성) → YES(적정) → 비식별 정보

NO(부적정)

그 자체로 특정 개인을 알아볼 수 있는 정보
(다른 정보와 쉽게 결합하여 특정 개인을 알아볼 수 있는 정보 포함)

개인정보가 아닌 것으로 추정
(단, 다른 정보와 결합하여 재식별
되지 않도록 필수적인 관리조치는 이행)

[출처 : 개인정보 비식별조치 가이드라인, 2016. 6.]

그런데, 이와 같은 개인정보 비식별조치 가이드라인이 나온 이후 2017. 10.까지 진행된 개인정보 빅데이터 결합은 아래 표와 같이 12건에 불과하였다.

결합수행기관	결합 일시	소유 주체	결합시도	결합건수
한국인터넷진흥원	2017. 3.	SK Telecom	1,802만	219만
		한화생명보험	459만	
한국정보화진흥원	2016. 11.	LG CNS	97만	96만
		LG U+	109만	
	2017. 1.	BC 카드	5만	5만
		W홈쇼핑	7만	
	2017. 7.	SKT	2,900만	248만
		한화생명보험	917만	
		SCI평가정보	3,700만	

결합수행기관	결합 일시	소유 주체	결합시도	결합건수
금융보안원	2016. 10.	한국주택금융공사	15만	7천
		주택도시보증공사	35만	
	2016. 10.	NICE 평가정보	5천	4천
		그릿연구소	5천	
	2017. 2.	신한카드	11만	5만
		코리아크레딧뷰로	13만	
	2017. 2.	신한카드	3만	2만
		코리아크레딧뷰로	11만	
	2017. 6.	KB국민카드	1,827만	250만
		LG유플러스	660만	
한국신용정보원	2017. 1.	나이스평가정보	290만	71만
		케이티	1,396만	
	2017. 1.	한화손해보험	396만	88만
		한화생명보험	711만	
	2017. 2.	삼성생명	801만	241만
		삼성카드	847만	
합계			1억 7,014만건	1,226만건

[출처 : 우순규, 금융산업에서 빅데이터 기반의 개인정보 비식별 조치에 영향을 미치는 요인에 관한 연구, 숭실대학교 대학원 법학박사학위 논문]

위 '개인정보 비식별 조치 가이드라인'에 대해서는 소비자도 만족하고 있지 못하고 있을 뿐만 아니라, 이와 같이 비식별 조치를 시행한 기업들도 정보의 효율성은 떨어지고 개인정보 활용으로 인한 리스크는 커져 부담만 떠안게 되었다고 불만들이 터져 나왔다[22].

---

22) 2017. 11. 3.자 보안뉴스 기사 "개인정보 비식별 조치 가이드라인, 소비자도

⚙ 마이데이터 산업 도입방안 발표

　이와 같은 문제점들을 인식한 정부는 2018. 7. 17. 소비자 중심의 금융혁신을 위한 금융 분야 마이데이터 산업 도입방안을 발표하였다. 우선 '마이데이터'라는 용어 자체가 생소하고 어렵고, 이해도 잘 되지 않는다.

　쉽게 설명하자면 여러 곳에 흩어져 있는 개인의 금융정보를 한 곳에서 쉽고 편하게 볼 수 있도록 하고 그 금융정보에 오류가 있으면 개인에게 이를 시정 요청할 기회를 주고, 투자패턴이나 소비패턴을 비교 분석하여 보다 좋은 상품을 추천해 주는 등 개인들에게 자신의 금융정보를 이용하여 보다 양질의 금융서비스를 제공하도록 하자는 것이다. '상속인 금융거래 조회서비스'를 이용하면 금융회사에 있는 고인 명의의 예금 · 보험 · 주식 · 채권 등 모든 금융자산과 대출 · 보증 · 카드대금 등 각종 채무를 상속인에게 알려주고 피상속인의 체납정보까지 알려준다. 죽은 사람이 아니라 살아 있는 사람들에게 이와 같은 통합정보제공 및 활용은 보다 더 필요한데도 사람들은 자신의 퇴직연금이 DB형인지, DC형인지도 잘 알지 못하고 어떤 상품에 투자되고 운용되는지도 잘 알지 못한 채 퇴직연금이 자신의 노후를 보장해 줄 것이라고 막연한 기대만을 품고 살아가고 있다. 자신의 신용점수 및 신용등급은 어떻게 되며 위와 같은 신용등급이 나온 근거는 무엇인지 그와 같은 판단에 잘못은 없는지 등에 대해서도 전혀

　　기업도 '불만'" (https://www.boannews.com/media/view.asp?idx=57862&kind=2)

196 | 김변이 알려주는 핀테크의 비밀

알지 못한다.

금융정보가 대부분 금융기관에 편중되면서 정보주체인 개인이 오히려 그 정보에서 소외되고 있으며, 수많은 금융상품의 홍수 속에 자신에게 맞지 않는 금융상품을 택함으로써 불측의 손해를 입는 경우도 많아지고 있다. 이와 같은 금융소비자를 보호하고 동시에 이와 관련한 핀테크(Fintech) 기업을 육성함으로써 금융혁신을 이루자는 것이 위 정부 발표의 핵심이며, 이를 통해 앞으로의 정부 정책 방향을 확인할 수 있었다.

⚙ 금융분야 마이데이터 산업 도입방안

정부가 내놓은 금융분야 마이데이터 산업 도입방안은 ① 개인의 정보·소비자주권 실현을 지원하는 독자적 산업을 육성하고자 금융분야 마이데이터 산업에 관한 법제를 새롭게 도입, ② 자본금 요건·금융권 출자의무 등 진입장벽은 최소화하여 금융분야에 창의적 플레이어들의 진입을 다양하게 유도, ③ 정보주체의 주도 하에 정보보호·보안을 유지하면서 안정적으로 서비스가 제공될 수 있도록 제도적·기술적 여건을 마련하는 등의 내용을 담고 있었다.

먼저 ①항과 관련해서는 기존 신용조회업을 영위해 왔던 나이스신용평가, 한국신용평가처럼 개인들의 신용정보를 은행 등 금융기관에 제공하는 회사들과는 달리 마이데이터 산업은 신용정보를 금융소비자 본인에게 제공하는 기존과는 다른 새로운 업종이므로 이를 '본인 신용정보 관리업'으로 명명하고 이에 대한 정의 및 법적 규율을 새롭게 마련하려는 것이다.

다음으로 ②항은 기존 신용조회업과는 달리 독창적인 아이디어를 가진 스타트업이나 IT 인력 등이 시장에 진입할 수 있도록 최소자본금 요건은 낮추는 대신, 개인의 신용정보를 다루는 업무 특성상 정보보호·보안 등이 매우 중요하기 때문에 등록제 대신 허가제를 도입하고, '신용정보 관리·보호인'을 반드시 두도록 하여 정보유출 등에 철저하게 대비하겠다는 것이다.

마지막으로 ③항은 정보주체에게 금융기관 등에게 본인의 개인신용정보 이동을 요구할 수 있는 권리를 제도적으로 보장하겠다는 것이다. 지금까지는 신용정보를 수집한 기관이 이를 다른 제3자(주로 광고나 서비스 소개를 원하는 기업들)에게 이전하는 데 '동의'하는지를 각 개인에게 묻는 방식의 수동적이고 소비자 이익에 역행하는 방식이었다면, 앞으로는 정보주체가 능동적으로 자신의 신용정보를 특정 서비스를 제공하는 기관에 제공하도록 요구하고 그 기관으로 하여금 양질의 분석서비스를 제공받을 수 있도록 하겠다는 것이다.

이를 통해 정보주체는 자신이 활용하고자 하는 최소한의 정보만을 선별적으로 마이데이터 업체에 제공하면서도 원하는 서비스를 제공받을 수 있게 되는 것이다.

이와 같은 마이데이터 산업을 육성하겠다는 정책을 내 놓고도 이를 법제화하는데는 상당한 시간이 걸렸다. 「개인정보 보호법」, 「신용정보의 이용 및 보호에 관한 법률(이하 '신용정보법')」, 「정보통신망 이용촉진 및 정보보호 등에 관한 법률(이하 '정보통신망법')」 개정안은 2020. 1. 9. 국회 본회의를 통과하였다(소위 '데이터 3법'의 국회 통과).

⚙ 개정 데이터 3법의 주요 내용

우선 가장 큰 변화는 과거 심의·의결기구에 불과하였던 개인정보보호위원회를 국무총리 산하의 중앙행정기관화함과 동시에, 행정안전부와 방송통신위원회가 수행하던 개인정보 보호법 관련 법 집행 권한을 개인정보보호위원회로 이관하여 일원화함으로써 개인정보보호위원회에 개인정보 보호의 컨트롤타워 역할을 부여하였다는 것이다[23].

이와 같은 개인정보보호위원회의 격상 강화와 업무 총괄은 유럽연합(EU)으로부터 적정성 결정을 받지 못했던 뼈아픈 경험에서 비롯되었다. 유럽연합은 개인정보보호에 관한 법령인 GDPR(General Data Protection Regulation)을 시행하고 있으며, 이 GDPR에 따라

---

[23] 신용정보법 또한 금융위원회의 감독을 받는 신용정보회사와는 별개로 금융위원회의 감독을 받지 않는 신용정보제공·이용자(이를 '상거래 기업 및 법인'이라고 지칭)에 대해서는 개인정보보호위원회에 신용정보회사에 대한 자료제출 요구·검사·출입권, 시정명령·과징금·과태료 부과 등의 권한을 부여함으로써 상거래 기업 및 법인에 대한 독자적인 감독권을 개인정보보호위원회가 가질 수 있게 되었다(신용정보법 제38조 제5항 및 제6항, 제42조의2, 제45조의3, 제45조의4 등).

회원국 국민의 개인정보를 타 국가로 이전하는 역외이전 행위를 금지하고 있다. 다만 국가별 적정성 평가를 통해 개인정보 보호의 수준이 EU와 동일한 판단을 받는 경우 자유로운 이전을 허용하는데, 우리나라는 아직까지도 EU의 적정성 평가를 통과하지 못했다. 그 주된 이유 중 하나가 개인정보나 신용정보관리에 관한 권한을 행정안전부, 방송통신위원회, 금융위원회 등 여러 기관에 나눠져 있음으로 인하여 중복규제가 이루어질 뿐만 아니라 컨트롤타워의 역할을 하는 기관이 없다는 점이었다.

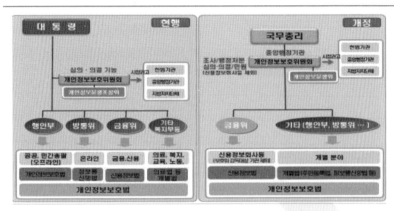

개인정보보호 추진체계 변화

[출처: 한국인터넷진흥원 자료]

[데이터 3법 개정의 주요 내용과 전망, 2020 KISA REPORT Vol.2(2020. 2.)

한국인터넷진흥원(https://www.kisa.or.kr)

데이터 3법의 주요 개정 내용은 아래 표와 같이 간략하게 요약할 수 있다. 「신용정보법」에서는 금융분야 마이데이터 산업에 대한 법적 근거를 마련함과 동시에 신용정보 관련 산업을 세분화한 것이 눈에 띈다. 즉 은행, 보험사, 신용카드사 등에 흩어져 있는 금융정보를 통합하여 그 신용정보주체에게 제공할 수 있는 '본인신용정보관리업'을 허용하는 한편, 대출 및 연체이력·카드 사용실적 등 획일적인 신용등급 산정방식에서 벗어나 통신요금, 전기·가스·수도요금 등의 납부 내역, 온라인 쇼핑내역, SNS 정보 등을 활용하여 개인의 신용등급을 산정하는 비금융 CB(신용조회업, Credit Bureau)를 허용함으로써 신용평가 방식의 다변화를 꾀하였고, 위와 같은 개인신용평가업 외에 자영업자(개인사업자)신용평가업, 기업신용평가업 등으로 전문화된 신용평가업을 허용하였다. 또한 「정보통신망법」에서는 「개인정보 보호법」과 유사하거나 중복된다고 판단된 규정, 특히 제4장 '개인정보의 보호'와 관련한 대부분의 규정이 삭제됨으로써 개인정보와 관련한 주된 법적규제를 「개인정보 보호법」으로 통합하게 되었다. 「정보통신망법」상 개인정보 정의, 민감정보·주민등록번호 처리제한, 개인정보 처리위탁, 안전조치의무, 개인정보보호책임자 지정, 정보주체의 권리, 손해배상, 개인정보보호 인증 등의 규정은 모두 삭제되었다.

'데이터 3법' 주요 내용

개인정보보호법	– '가명정보' 개념 도입 및 이용·제공 범위 명확화
	– 데이터 결합 및 데이터전문기관 법적 근거 마련, 안전성 확보 의무화
	– 개인정보 관리·감독기구 '개인정보 보호위원회' 로 일원화
신용정보법	– 금융 분야 빅데이터 분석·이용의 법적 근거 및 책임성 확보장치 마련
	– 신용정보 관련 산업 세분화, 본인신용정보관리(마이데이터)산업 도입
	– 개인정보 자기결정권 도입, 정보주체 피해시 최대 5배 배상
정보통신망법	– 개인정보 보호 관련 사항 '개인정보 보호법' 으로 이관

[데이터3법 주요내용 – 출처 : 서울경제 2020. 1. 9.자 기사]
(https://m.sedaily.com/NewsView/1YXKX3VNNC#__enliple)

　마지막으로 개인정보 분야의 핵심이자 일반법인 「개인정보 보호법」에서는 아래와 같이 개인정보, 가명정보, 익명정보로 구분하고 개인정보에 대해서는 기존과 마찬가지로 사전적이고 구체적인 동의를 받은 범위 내에서만 활용 가능하도록 하고, 가명정보에 대해서는 통계작성(상업적 목적 포함), 과학적 연구(산업적 연구 포함), 공익적 기록보존 등의 목적의 경우에는 당사자의 동의 없이 활용 가능하도록 하며, 익명정보의 경우 더 이상 개인정보라고 볼 수 없어 제한 없이 자유롭게 활용이 가능하도록 하였다.

	개념	활용가능 범위
개인정보	특정 개인에 관한 정보, 개인을 알아볼 수 있게 하는 정보	사전적이고 구체적인 동의를 받은 범위 內 활용 가능
가명정보	추가정보의 사용없이는 특정 개인을 알아볼 수 없게 조치한 정보	다음 목적에 동의 없이 활용 가능 (EU GDPR 반영) ① 통계작성 (상업적 목적 포함) ② 연구 (산업적 연구 포함) ③ 공익적 기록보존 목적 등
익명정보	더 이상 개인을 알아볼 수 없게 (복원 불가능할 정도로) 조치한 정보	개인정보가 아니기 때문에 제한없이 자유롭게 활용

[문화체육관광부 정책브리프 2020. 3. 30.자
(http://www.korea.kr/special/policyCurationView.do?newsId=148867915)]

개인정보, 가명정보, 익명정보가 과연 무엇인지 알기 쉽게 설명
하자면 아래와 같이 단순도식화 할 수 있을 것이다.

[개인정보, 가명정보, 익명정보의 구별 –
아주경제 2020. 2. 21.자 기사(https://www.ajunews.com/view/20200220150833227)]

하지만 이를 실제 사례에 적용해보면 사전 동의를 요하는 개인정보와 동의를 요하지 않는 가명정보를 쉽게 구별하기는 어렵다. 개정 「개인정보 보호법」상 '개인정보'에 해당 정보만으로는 특정 개인을 알아볼 수 없더라도 다른 정보와 쉽게 결합하여 알아볼 수 있는 정보를 포함하고 있기 때문이다. 환자의 이름 및 식별번호 등이 쓰여 있지 않은 엑스레이 사진, CT/MRI 사진 등은 개인정보에 해당할까? 당해 사진을 촬영한 병원의 관점에서는 보관된 의료기록과 결합하여 환자를 알아볼 수 있으므로 당연히 개인정보에 해당한다. 하지만 질병진단 인공지능을 개발하는 연구기관에 환자의 이름 등이 없는 사진이 인공지능 학습 자료로 제공되었다면 다르게 판단될 여지도 있다. 결국 누구의 관점에서 결합 가능성을 따지느냐에 따라 개인정보와 가명정보가 달라질 수 있다는 점이다24).

⚙ 앞으로의 전망

2020. 8. 5.부터 「개인정보 보호법」, 「정보통신망법」, 「신용정보법」이 시행 중이다.

이번 데이터 3법 개정은 가명정보의 자유로운 활용을 허용하고 마이데이터 산업에 관한 법적 근거를 마련하는 등 개인정보에 대한 기본적인 인식변화를 도모하였다는 데 큰 의미를 두어야 할 것이다. 다른 법률들과 마찬가지로 법령으로 모든 내용을 사전에 미리 예상

---

24) 이 부분은 법무법인 바른의 전승재 변호사가 바른 뉴스레터 2020년 1월호에 기고한 내용을 일부 참조하였음.

하고 규율할 수는 없으며, 법이 제정되었다고 하여 바로 그 분야 산업이 급성장하는 것도 아니다. 특정산업을 육성하는 법을 제정하는 것이 우선되어 새로운 분야에 도전하는 핀테크 기업들이 많아지고 새로운 서비스들이 많아질 수 있도록 해야 한다. 이후 이들 서비스들에 대한 재점검을 통해 법령을 다시 정비하는 작업을 통해 우리의 금융데이터 산업을 발전시켜 나가야 할 것이다. 다른 나라와 비교하여 크게 늦지 않은 시기에 이와 같은 패러다임의 변화를 모색한 결정은 환영할 만하다.

지금까지의 개인별 맞춤 금융자문서비스는 금융기관 내 전문가와 VIP 자산가를 1:1로 매칭하여 이들의 자산을 관리를 해 주는 방식이었기 때문에, 금융기관에 고액의 자금을 예치해 놓은 사람이 아닌 일반 고객들에게는 위와 같은 금융자문서비스를 제공하는 것이 불가능하였다. 이에 대부분의 금융소비자는 자신의 돈이 어디에 어떻게 투자되고 있는지에 대해서도 정확하게 알지 못하고 있으며, 어떻게 투자하는 것이 보다 합리적인 것인지에 대한 지식이나 노하우도 전혀 없다. 이처럼 금융에 대해 잘 알지 못하고 어렵다고 생각하다 보니 주식에서 돈을 빼서 부동산 투자에 몰리게 되고 결국 서울 집값은 하늘 높은 줄 모르고 치솟아 버렸다.

최근 몇몇 핀테크 업체들이 흩어져 있는 각 개인의 금융정보를 통합하여 보여주고 각 개인의 소비 및 투자 패턴을 분석하여 보다 나은 상품을 추천하는 등의 새로운 서비스를 제공하고 있다. 각 증권사가 운영하는 모바일 앱에서도 로보 어드바이저를 활용하여 각 투자자의 투자성향과 현재 투자패턴 등을 확인한 뒤 비슷한 투자 성향을 가진 다른 투자자가 투자하고 있는 상품 등과 비교 분석한 결과 보고서를 제공하고, 해당 투자자에게 맞는 투자조언을 해 주는 다양한 자문서비스도 새롭게 생겨나고 있다.

하지만 이와 같은 서비스를 활용해 본 필자의 개인적인 경험으로는 아직까지 이들 기업의 정보수집이나 분석은 제한적이고 초보적이어서 만족할 만한 추천이나 자문을 해주지 못하고 있는 것 같다. 특정 카드를 홍보하거나 자사가 밀고 있는 보험, 금융상품 가입을 유도하는 경우도 많이 있었다. 아마도 지금까지 데이터 3법으로 인하여 개인정보 특히 금융거래에 관한 신용정보 등에 대한 접근이 사실상 차단되어 있었던 것이 주요 원인 중 하나일 것으로 생각된다.

지금 필자의 핸드폰에는 필자가 거래하고 있는 증권사, 은행, 카드사, 보험회사 등 수십 개의 금융사 앱이 깔려 있고, 필자의 금융계좌정보를 확인하기 위하여 위 수십 개의 앱 별로 공인인증서를 별도로 등록하고 각 앱에 접속하여 공인인증서 비빌번호를 매번 입력해야 한다.

이번 데이터 3법 개정으로 이와 같은 번거로움을 한 방에 해결하는 새로운 서비스들이 널리 보급되기를 기대해 본다. 한 개의 앱으로 내 모든 금융정보를 한 눈에 확인할 수 있음은 물론이고, 내가 대출받고 있는 은행보다 훨씬 좋은 조건으로 대출을 해 줄 수 있는 은행을 바로 보여주고, 내가 투자하고 있는 펀드와 비슷한 성격을 가지면서도 수수료는 저렴하고 수익률은 더 좋은 펀드를 추천해 줄 뿐만 아니라, 내 소비패턴을 분석하여 같은 돈을 쓰면서도 보다 많은 마일리지를 쌓을 수 있는 카드를 추천해 주는 서비스 등이다.

'동학개미', '서학개미' 등 주식시장에 대한 국민들의 관심이 치솟으면서 코스피지수가 사상 최고치로 마감한데 이어, 2021년은 연초부터 증시사상 처음으로 코스피지수가 3,000을 넘는 과열양상까지 보이고 있다. 이는 사상 유례없는 저금리, 백신 보급으로 인한 코로나 사태 진정에 대한 기대감, 미국 대통령 바이든 당선 이후 경기부양에 대한 기대감 등이 맞물린 결과라고 보여진다. 주가가 급등하고 단타 등으로 차익을 실현하는 등의 변질된 투자는 옳지 않다. 이번에 대한민국 국민들에게 불어닥친 금융에 대한 관심이 일회성이 아니라 지속될 수 있도록 핀테크 산업에 종사하는 많은 분들이 보다 쉽고 편한 금융서비스를 많이 내놓기를 기대한다.

04
핀테크 활성화와
금융 샌드박스

⚙ 규제로 인한 핀테크 기업의 어려움

기업활동과 관련하여 애로사항을 들어보면 1순위가 항상 강한 행정규제로 인한 어려움이다. 금융업의 경우에는 더욱 더 그러하다. 하지만 금융이라는 것 자체가 기본적으로는 남의 돈을 다루는 것이니만큼 무작정 시장 자율에만 맡겨둘 수는 없기에 금융 감독당국의 역할을 강조하지 않을 수는 없다. 큰 금융사고가 발생할 때마다 이를 미리 막지 못한 금융감독원을 질책하니 금융감독원 입장에서도 되도록 문제가 생길만한 일들은 생기지 않는 방향으로 행동할 수밖에 없다.

여기에 나아가 우리 법제는 포지티브 규제제도를 두고 있기에 핀테크 산업은 더욱 어려운 환경에 처하게 된다. 일단 무엇이든 가능하지만 일정한 기준을 넘어서는 행위에 대해서만 규제하겠다는 네거티브(Negative) 규제 제도를 도입하고 있는 미국 등에 비하여, 우리나라는 법으로 정한 행위에 대해서만 허용하는 포지티브(Positive) 규제를 적용하기 있기 때문에 많은 기업들이 새로운 서비스를 제공하기 전 반드시 이것이 법에 위배되는 것은 아닌지 우려하고, 신중한 검토를 하지 않을 수 없다. 그런데 핀테크 기업들이 내세우는 새로운 서비스들은 지금까지 어느 누구도 경험해 보지 않은 것이기 때문에 이것을 허용하였을 때 어떤 부작용이 발생할지 아무도 장담할 수 없으니 바로 입법화를 통해 허용하기가 어렵다. 그런 와중에 금융당국이 명확한 입장을 제시해주면 제일 좋겠지만 금융당국 또한 새로운 서비스에 대한 확실한 이해가 없는 상태에서 쉽사리 유권해석을 내놓으려 하지 않으면서 차일피일 시간을 미루게 된다. 기술이 급속도록 발달하고 있는 현대 사회에서 6개월만 투자가 늦어지더라도 치열한 국제사회 경쟁에서 밀릴 수 밖에 없는데, 서비스를 허용하는 법이 만들어지기까지 손 놓고 있을 수만은 없는 것이다.

⚙ 주요국 규제 샌드박스와 한국의 「금융혁신지원 특별법」

이와 같은 규제로 인한 핀테크 산업의 위축은 외국에서도 우리와 마찬가지로 고민하였던 문제로, 이와 같은 문제를 해결하기 위해서 영국 금융감독청(FCA)에서는 핀테크 업체들을 대상으로 규제 샌드박스 제도를 2016년 5월 처음으로 시행하였다[25]. 샌드박스는 어

---

25) 이현준, 주요국 혁신의 엔진, 규제샌드박스 : 해외 규제 샌드박스 현황 및 시사점, 이슈리포트 2019-10호, 정보통신산업진흥원, 제3쪽

린이들이 노는 놀이터를 의미하는 것으로 기업들이 규제의 위험에서 해방되어 자유롭게 기업활동을 할 수 있도록 하는 것을 의미한다. 이와 같은 규제 샌드박스를 통한 실험은 영국을 너머 싱가포르, 일본 등에서도 도입하기 시작하였으며, 우리나라 또한 2018년 말 규제 샌드박스 4법이 통과되면서 본격적으로 운영되기 시작하였다.

각국별 규제 샌드박스의 주요 특징은 아래와 같다[26].

항목	영국	싱가포르	일본	미국	한국
주무부처 (사업 담당)	재무부	통화청	경제산업성	연방 시행 전 애리조나주	과기정통부, 산업부, 중기벤처부, 금융위
시행	2016년 5월	2016년 6월	2018년 6월	2018년 8월	2019년 1월
대상 산업	금융 핀테크	전 산업	전 산업	애리조나주 : 금융 핀테크	전 산업
모집기간	평균 7개월 간격 모집	수시	수시	수시	수시
주요특징	- 세계 최초 시행 - 코호트운영 - 선정 5~6 개월	- 샌드박스 익스프레드 제도 (21일 이내 허가 결정)	- 일몰제도 - 해외기업 가능	- 주 단위 운영	- 부처 별 운영

---

26) 위 논문 제11쪽

⚙ 「금융혁신지원 특별법」의 주요 내용

2018. 7. 25. 국회 전체회의에서 첫 상정되고 제안설명이 이루어졌던 「금융혁신지원 특별법」은 2018. 12. 7. 전격적으로 국회 본회의에서 가결되었다. 이와 같은 금융혁신지원 특별법이 필요한 이유에 대해서는 위 '법률안의 제안이유'를 통해 분명히 확인할 수 있다.

[금융혁신지원 특별법 제안이유]

[국회 의안정보시스템(http://likms.assembly.go.kr/bill/billDetail.do?billId=PRC_A1E8I0G3X0T6M1P7N4T0Q1K4P8D3D2)]

➢ 4차 산업혁명에 따른 금융과 IT 융합(Fin-tech) 등은 금융소비자의 편리하고 합리적인 금융 생활을 돕는 새로운 금융서비스를 만들어 낼 기회를 제공하고 있음

➢ 그런데, 새로운 금융서비스는 시장 및 소비자에 미치는 영향이 검증되지 않기 때문에 혁신적 금융서비스의 시장진입을 촉진하기 위해서는 시장에서 테스트해 볼 수 있는 기회가 필요함.

➢ 새로운 금융서비스의 시장테스트는 필요성에도 불구하고 현행 금융관련법령과 상충되는 측면이 있어 그동안 실현되지 못했음.

➢ 금융관련법령상 금융업 인·허가가 있어야 금융업 영위가 가능하므로 일반 핀테크기업은 시장테스트를 진행하기 어렵고 금융업 인·허가가 있는 금융회사도 사전적·열거적 금융규제로 인해 기존의 규제 틀을 뛰어넘는 서비스의 테스트가 불가능한 상황임.

➢ 이러한 한계를 극복하기 위해 2015. 11. 영국이 혁신적 금융서비스를 한정된 범위 내(이용자수, 이용기간 제한 등)에서 테스트하는 경우 기존 금융규제를 면제 또는 완화하는 금융규제 샌드박스(regulatory sandbox) 제도를 도입한 이후 싱가포르, 호주 등도 유사한 제도를 도입하여 운영 중에 있음

➢ 이에 우리나라도 금융분야에서 혁신과 경쟁을 촉진함으로써 혁신성장을 선도할 수 있도록 혁신적 금융서비스의 테스트 공간으로서 금융규제 샌드박스를 도입·운영할 수 있는 법적 근거를 마련하려는 것임

또한 「금융혁신지원 특별법」의 주요 내용은 다음과 같다.

[금융혁신지원 특별법 주요 내용]

[국회 의안정보시스템(http://likms.assembly.go.kr/bill/billDetail.do?billId=PRC_A1E8I0G3X0T6M1P7N4T0Q1K4P8D3D2)]

['혁신금융서비스'의 정의 (제2조)]

➢ 혁신금융서비스란 기존 금융서비스의 제공 내용 · 방식 · 형태 등과 차별성이 인정되는 금융업 또는 이와 관련된 업무를 수행하는 과정에서 제공되는 서비스

['혁신금융서비스'의 지정 (제4조)]

➢ 금융위원회가 2년의 범위에서 혁신금융서비스를 지정할 수 있도록 하고, 혁신금융서비스를 지정하는 경우에는 종류, 내용, 이용자의 범위 및 업무범위 등을 포함하도록 함

[혁신금융심사위원회의 설치 및 구성 (제13조)]

➢ 금융위원회는 혁신금융서비스 지정 신청 사항을 심사하기 위하여 혁신금융심사위원회를 두고, 위원장 1명을 포함한 25명 이내의 위원으로 구성하며, 해당 금융서비스가 기존의 금융서비스와 비교할 때 충분히 혁신적인지 여부 등을 심사하도록 함

[금융혁신지원 특별법 주요 내용]

[국회 의안정보시스템(http://likms.assembly.go.kr/bill/billDetail.do?billId=PRC_A1E8I0G3X0T6M1P7N4T0Q1K4P8D3D2)]

['혁신금융사업자'의 업무범위 (제16조)]

➢ 혁신금융사업자는 혁신금융서비스에 적용되는 기준 · 요건 등이 금융관련법령에 없거나 관련 규정을 혁신금융서비스에 적용하는 것이 적합하지 아니한 경우 등에는 지정받은 범위 내에서 해당 혁신금융서비스를 영위할 수 있도록 함

[규제 적용의 특례 (제17조)]

➢ 혁신금융사업자가 지정기간 내에 영위하는 혁신금융서비스에 대해서는 사업 또는 사업자의 인허가 · 등록 · 신고, 사업자의 지배구조 · 업무범위 · 건전성 · 영업행위 및 사업자에 대한 감독 · 검사와 관련이 있는 금융관련법령의 규정 중 지정 시 특례가 인정되는 규정은 적용하지 않음.

['혁신금융사업자의 의무 (제18조)]

➢ 금융위원회가 부과한 조건을 준수해야 하고, 혁신금융서비스 이용 건수 및 총 거래액수 등이 포함된 운영 경과보고서를 금융위원회에 제출해야 하며, 금융소비자 보호 및 위험 관리 등을 위한 방안을 마련하고 이를 준수해야 함.

[국회 의안정보시스템(http://likms.assembly.go.kr/bill/billDetail.do?billId=PRC_A1E8I0G3X0T6M1P7N4T0Q1K4P8D3D2)]

[배타적 운영권 (제23조)]

➤ 혁신금융사업자는 지정을 거쳐 인·허가 등을 받은 경우 혁신금융서비스를 배타적으로 운영할 권리를 가지고, 배타적 운영기간 중에 해 당 혁신금융서비스와 내용·방식·형태 등이 실질적으로 동일한 금융서비스를 제공하는 행위에 해당하는 행위를 하거나 할 우려가 있는 자에 대해 금융위원회 및 관련 행정기관에 배타적 운영권 보호에 관한 조치를 요구할 수 있음.

[규제 신속 확인 (제24조)]

➤ 혁신금융서비스를 계공하려는 금융회사 등은 금융위원회에 법령 등의 적용 여부 등을 확인해 줄 것을 신청할 수 있고, 금융위원회는 30 일 이내에 회신하도록 함

⚙ 혁신금융서비스 지정의 구체적인 사례

위 특별법에 따라 금융위원회는 2019. 1. 21.부터 2019. 1. 31.까지 혁신금융서비스를 지정 신청을 받았다. 이에 금융회사, 핀테크회사 등 총 105개 회사가 혁신금융서비스를 신청하였으며, 공무원 및 각 계 전문가들로 구성된 혁신심사위원회의 심사를 거쳐 금융위원회는 2019. 4. 17.과 2019. 5. 2. 2번에 걸쳐 총 18건의 서비스를 혁신금융서 비스로 지정하였다[27]. 18건의 혁신금융서비스는 아래와 같으며, 이 와 같은 예들을 통해 금융 샌드박스로 적용받은 유형에 대해 대체적 으로 이해할 수 있을 것이다.

---

27) 2019. 4. 17.자 금융위원회 보도자료 (금융규제 샌드박스로 금융의 새로운 길 을 열다 - '19. 4. 17. 금융위, 혁신금융서비스 9건 첫 지정 -); 2019. 5. 2.자 금융위원회 보도자료 ('19. 5. 2. 금융위원회, 혁신금융서비스 9건 지정 - 금융 규제 샌드박스 제도의 연착륙을 지속 지원하여 완성도 제고-)

기 관	주요 서비스 내용
국민은행	은행의 부수업무로 「이동통신망사업」을 영위할 수 있도록 하여 은행이 알뜰폰을 이용한 금융·통신 결합서비스 제공
디렉셔널	블록체인을 활용한 「P2P방식 주식대차」 중개 플랫폼을 통해 개인투자자에게 주식대차거래 기회 제공
농협손보/레이니스트	「해외여행자보험」 계약시 특정 기간 내에 반복적으로 재가입하는 경우 「스위치(on-off)방식」의 보험가입·해지서비스
신한카드	경조사비 등과 같이 물품의 판매나 용역의 제공없이 이루어지는 「개인간 신용카드 송금서비스」 허용
BC카드	푸드트럭, 노점상 등 개인 판매자가 「모바일 플랫폼 QR」을 활용하여 신용카드로 결재하는 서비스
신한카드	신용카드사가 보유한 매출정보 등 「가맹점정보」를 활용하여 개인사업자의 신용을 평가하는 서비스
페이플	「SMS 인증방식」의 출금동의를 허용한 온라인 간편결제
루트에너지	태양광, 풍력 등 재생에너지 발전사업에 지역주민이 투자자로 참여하여 수익을 창출할 수 있도록 「투자한도 확대」를 허용하는 P2P금융서비스
핀다	「한 번에 여러 금융회사」로부터 자신에게 맞는 최적 대출조건을 확인하고 대출을 신청할 수 있는 서비스
비바리퍼블리카	「복수의 금융회사가 제공하는 대출상품」의 개인별 최저가 확정 대출금리를 확인하고 대출을 신청하는 서비스
NHN.페이코	여러 금융회사가 제시하는 대출 금리 및 한도를 1차적으로 조회 후, 선택한 금융회사에 2차적으로 「대출조건 협상」하여 대출을 신청하는 서비스
핀셋	「개인별 신용과 부채를 통합하여 분석한 자료와 대출가능 상품」을 안내하는 서비스
핀테크	개인이 차량번호 입력시 금융회사의 「자동차 담보대출 한도 및 금리」 등을 제공 받을 수 있는 서비스
코스콤	「비상장 기업」의 주식거래 전산화 및 주주명부 블록체인화를 통해 개인간 비상장주식 거래를 지원하는 테스트 서비스
카사코리아	부동산 유동화 수익증권을 블록체인 기반 기술을 통한 「디지털 증권 방식」으로 투자자에게 발행·유통하는 테스트 서비스

기 관	주요 서비스 내용
우리은행	「은행지점 방문없이」 요식업체, 공항 인근 주차장 등에서 사전 예약한 환전·현금인출을 받을 수 있는 서비스
더존비즈온	외부감사 대상이 아닌 중소기업 등으로부터 수집한 「세무회계 정보」를 활용하여 신용정보를 제공하고 신용평가·위험관리 모형을 제공하는 서비스

그 이후 금융위원회는 혁신금융서비스를 보다 적극적으로 지정하여 2020. 3. 30. 기준 93건, 2020. 12. 22. 기준으로는 총 135건의 서비스를 혁신금융서비스로 지정하였다[28].

금융위원회와는 별개로 과학기술정보통신부도 ICT 규제샌드박스를 지정하고 있는데, 이중 최근에 눈에 띄는 서비스는 '타다 라이트'가 있다. 현행 「자동차관리법」상 택시미터기는 전기로 작동하는 기계식만 인정할 뿐 앱을 활용한 미터기는 허용하지 않는다. 하지만 위 기계식 미터기의 정확성이나 조작 가능성에 대해 불만을 제기하는 경우도 많았고 요금체계가 바뀌면 모든 택시의 미터기를 전부 바꾸어야 하므로 비용도 많이 든다. '타다 라이트'는 이와 같은 문제의 착안하여 'GPS 정보를 기반으로 택시 요금을 산정·부과'할 뿐만 아니라, '도착지에 승객 수요가 많을 것으로 예상되면 할인·장시간 수요가 없는 공차 대기 상태가 예상되면 할증'하는 등 다양한 탄력 요금제 적용이 가능하다는 아이디어로 규제샌드박스 인증을 받았다.

---

28) 각 혁신금융서비스의 구체적인 내용은 금융규제 샌드박스 홈페이지(https://sandbox.fintech.or.kr/result/appoint_service.do?systemType=FINTECH&search=)에서 확인할 수 있다.

⚙️ 앞으로의 과제

우리나라는 일단 규제 샌드박스에 대한 승인 건수만 보면 다른 나라에 비해 선도적인 것으로 판단된다. 아래와 같이 금융위원회의 금융규제 샌드박스 승인만 하더라도 2020. 3. 30. 기준 93건에 이르고, ICT융합을 포함한 다른 산업군의 샌드박스 승인 건까지 포함하면 218건에 이르고 있기 때문이다[29].

[부처별 샌드박스 승인 현황]

금융위원회(혁신금융)	93건
산업통상자원부(산업융합)	39건
과학기술정보통신부(ICT융합)	47건
중소벤처기업부(지역특구)	39건
전 체	218건

※ 자료 : '20. 3. 30. 기준

[다른 국가의 샌드박스 승인 현황]

年 40여 건 승인

16년 도입 후 6건 승인

18년 도입 후 9건 승인

영 국 (19년 4월 기준) 호 주 일 본 (19년 10월 기준)

※ 출처 : 국무조정실

이제 규제 샌드박스를 도입한 지 거의 2년이 다 되었다. 「금융혁신지원 특별법」에 따르면 규제 샌드박스의 적용을 받는 '혁신금융서비스'는 2년의 기간 동안 승인을 받도록 하고 있으며, 1회에 한하여 연장이 가능하다. 따라서 기간연장이 이루어지지 않는다는 가정하

---

29) 김정욱, 샌드박스 시행 1년, 도입 성과 및 효율화 방안, 대한상의 브리프 제 121호(2020. 4.), 제1쪽

에 현재 '혁신금융서비스'로 지정받은 업체들에게는 기간 만료가 눈앞에 닥쳤다. 이들이 그 기간 내에 좋은 성과를 내서 국민들이 체감할만한 혁신적인 금융서비스를 제공할 수 있도록 정부의 지속적인 관심과 지원이 필요하다고 생각된다. 우리나라에는 열정과 패기를 가진 기업가들이 누구보다 많기에 이와 같은 규제 샌드박스 승인 기간 동안 자신들의 아이디어를 마음껏 시험함으로써 유니콘 기업으로 성장하기를 기대하며, 이와 같은 성공사례들이 많이 나올 때 규제 혁신은 급물살을 타게 될 것이다.

05

핀테크 관련
기타 법규

⚙ 간편결제와 「전자서명법」

간편결제는 카드나 계좌 정보 등을 미리 등록해 두고 이후 비밀번호나 지문 등 본인인증을 통해 결제가 이루어지는 원클릭 방식의 결제를 의미한다. 현재 인터넷 쇼핑몰 등을 통해 보편적으로 사용되고 있는 간편결제는 몇 년 전만 하더라도 규제로 인하여 구현이 불가능한 방식이었다.

이는 모든 온라인거래에 의무적으로 사용하게 하던 '공인인증서' 때문이었다. 온라인에서 비대면으로 이루어지는 사무의 처리, 전자상거래, 전자금융거래에서 거래의 상대방을 신뢰할 수 있는 전자서명이 필요한데, 이를 위해 정부가 만든 것이 '공인인증서 제도'이다. 1999년 7월 「전자서명법」 제정으로 도입되어, 정부와 공공기관의 온라인 민원업무 처리 등에 적용되었고, 2000년에는 은행, 2002년에는 증권사, 2004. 1. 1.부터는 인터넷쇼핑몰의 10만 원 이상 카드 사용거래에 적용되었다. 2006. 12. 28. 「전자금융거래법」 제정에 따른 전자금융감독규정 전면 개정시, 30만 원 이상 카드 결제에 대해서 적용하는 것으로 규정되었다가, 2014. 5. 20.자로 금액과 상관없이 카드 결제에 대해서는 공인인증서 사용 의무가 폐지되었으며, 2015. 3. 18.자 감독규정 개정으로 전자자금이체에 대해서도 공인인증서 사용 의무가 폐지되었다[30].

이와 같은 공인인증서 사용 의무의 폐지는 인기 드라마 '별에서 온 그대'의 영향이 컸다. 드라마 주인공인 천송이가 즐겨 입던 코트가 인기를 끌면서 많은 중국인들이 위 코트를 국내 인터넷쇼핑몰 등을 통해 구매하고자 했으나 중국인들에게 발급이 불가능한 공인인증서 없이는 결제가 이루어지지 않는 것이 문제가 되면서 공인인증서가 불필요한 금융규제의 대명사처럼 치부되게 되었다. 공인인증서 사용 의무가 폐지되면서 각 금융회사들은 자체 또는 보안회사와의 협업 등을 통해 지문·홍체 등 생체정보를 통한 신분확인, 4~6자리 비밀번호, 핸드폰 인증 등 다양한 방식을 통한 본인확인절차를 시행하고 있으며, 간편결제 시장은 별다른 금융사고없이 급성장하고 있다.

공인인증서를 이용하지 않을 경우 명의도용이나 카드 해킹 등의 많은 문제가 발생할 것으로 우려를 했으나, 오히려 이는 새로운 보

---

30) 예자선, 핀테크 규제와 실무, 삼일인포마인, 제122쪽 내지 제123쪽

안기술의 도입을 촉진하고 금융거래를 획기적으로 편리하게 변화시켰을 뿐만 아니라 이 분야 산업 또한 확대시키는 등의 여러 가지 순기능을 수행하게 된 것이다.

나아가 20년 이상 이어져 온 공인인증서를 아예 폐기하는 「전자서명법」은 2020. 5. 20. 국회 본회의를 통과하였고, 2020. 12. 10.부터 시행중에 있다. 공인인증서 대신 블록체인, 생체인증 등 신기술 기반의 다양한 전자서명 서비스가 등장할 수 있는 기반이 마련된 것이다[31]. 위 「전자서명법」 정부안의 제안이유를 보면 공인인증서와 관련한 시대의 변화상을 다시 한 번 확인할 수 있다.

『전자서명법』 공인인증서 폐기 법안 제안 이유

➢ 공인인증서는 우리나라의 전자서명 제도 도입 초기에 광범위하게 활용되면서 전자상거래 활성화 등 국가 정보화에 기여하였으나, 현 시점에서는 공인인증서가 시장독점을 초래하고 전자서명 기술의 발전과 서비스 혁신을 저해하며, 다양하고 편리한 전자서명수단에 대한 국민들의 선택권을 제한한다는 등의 문제점이 제기되고 있음

➢ 이러한 문제점을 개선하기 위하여 공인인증서 제도를 폐지함으로써 민간의 다양한 전자서명수단들이 기술 및 서비스를 기반으로 차별없이 경쟁할 수 있는 여건을 조성하고, 전자서명의 신뢰성 제고 및 전자서명 인증서비스 선택에 필요한 정보 제공을 위하여 국제적 기준을 고려한 전자서명인증업무 평가·인정제도를 도입하는 등 전자서명 제도를 국가 위주에서 민간 위주로 개편하여 관련 산업의 경쟁력을 제고하는 동시에 국민의 선택권을 확대하려는 것임

부가가치세 신고, 연말정산 등을 위해 연초에 가장 많이 찾는 국세청 홈택스 사이트에서도 과거 공인인증서 밖에 없었던 로그인 창

---

31) 2020. 5. 20.자 전자뉴스 트렌드메이커 기사 (공인인증서 21년 만에 폐지… 카카오·이통사 등 민간인증 대체) http://www.trendmaker.co.kr/news/articleView.html?idxno=229887

에 '지문인증 로그인'창과 '페이코, 통신사인증서, 카카오톡, 국민은
행, 삼성패스 등을 이용한 간편인증 로그인'창이 새롭게 등장하였다.

노트북을 사용하다 금융사나 공공기관에 급하게 로그인해야 하는
데 공인인증서가 없어 공인인증서가 있는 집이나 사무실로 달려가
는 일도 이제는 옛추억이 되어가고 있다. 그나저나 그 사이에 핸드
폰이 내 신체의 일부가 되어가는 문제(?)도 동시에 발생하고 있다.

⚙ 전자결제수단과 「여신전문금융업법」, 「유사수신행위규제법」

신용카드사는 고객이 특정 업체 등으로부터 상품이나 서비스를
먼저 받고, 나중에 그 값을 고객의 예금계좌 등에서 자동적으로 갚
게 하는 신용 거래를 주선해 줌으로써 거래의 신속성과 효율성을 높
이고 있다. 카드사는 신용 거래를 제공해 주는 대가 및 고객이 예금
계좌에 제 때 돈을 입금해 놓지 않음으로 인하여 발생하는 결제 불
이행 리스크 등을 감안하여 가맹업체로부터 약 1~3% 가량의 수수
료를 징수한다. 인터넷을 기반으로 한 전자상거래에서도 신용카드
를 이용하는 결제가 가장 보편적인 방식이지만 위와 같은 고액의 수
수료를 피하기 위해 업체들은 다양한 시도들을 진행하고 있으며 이
또한 전자결제서비스를 제공하는 핀테크 기업들의 영역이기도 하다.
그런데 이 시장은 오랜 기간 공고히 자신의 영역을 구축한 기존 거
대 신용카드 회사와 시장이 겹치는 영역이므로 항상 크고 작은 분쟁
이 제기되어 왔다.

먼저 2017년 G마켓은 신용카드가 아닌 은행 계좌이체를 기반으로 한 새로운 페이 서비스를 출시하고 이와 같은 은행 계좌를 통해 결제를 하는 경우 결제금액의 2%를 마일리지로 적립해 주는 서비스를 추진했었다[32]. 2019년 2월에도 쿠팡의 로켓페이를 통한 계좌 결제에 대해서만 포인트를 지급하자 여신전문협회에서 여신전문금융업법 위반을 문제삼았다[33]. 이와 같은 인터넷 쇼핑몰들의 시도는 신용카드사들에게 지급되는 수수료를 줄이는 대신 수수료 상당에 해당하는 마일리지를 지급함으로써 충성고객을 확보하려는 의도인 것으로 판단된다. 그런데 이와 같은 정책은 「여신전문금융업법」 제19조에 위반될 소지가 있다. 「여신전문금융업법」 제19조 제1항에서는 신용카드가맹점은 신용카드로 거래한다는 이유로 신용카드 결제를 거절하거나 신용카드 회원을 불리하게 대우하지 못하도록 규정하고 있기 때문이다. 이와 관련하여 금융위원회는 2017. 8. 11. 신용카드 결제 고객에게 다른 결제수단을 이용하는 경우보다 포인트 적립, 할인 혜택 등에서 불리하게 대우할 경우 「여신전문금융업법」 제19조 제1항 위반의 소지가 있다는 유권해석을 내린 바 있다[34].

이와 같은 법령위반의 문제로 인하여 선불사업자들은 선불전자지급수단을 한꺼번에 충전해 두는 이용자들에게 포인트를 지급하는

---

32) 연합뉴스 2017. 8. 28.자 기사 (계좌이체 결제 여전법 위반 논란... 카뱅 '앱투앱' 발목 잡나) http://news.einfomax.co.kr/news/articleView.html?idxno=3409226
33) 한국경제 2019. 2. 11.자 기사 (쿠팡 로켓페이 적립금 혜택, 여신전문금융법 위반 논란) https://www.hankyung.com/economy/article/2019021181871
34) 금융규제민원포털 홈페이지(https://better.fsc.go.kr/user/extra/fsc/123/fsc __lawreq/view/jsp/LayOutPage.do?lawreqIdx=1369)

방식을 고민하게 되었다. 충전할 때 바로 포인트를 지급하는 경우 포인트만 받고 바로 환급하는 경우가 발생할 수 있으며 이 경우에는 당초 의도와는 달리 선불사업자에게 손해가 발생할 수도 있으므로 충전금을 일정 기간 보유하는 것을 조건으로 다는 것이 불가피한데, 이 경우 이와 같이 지급한 포인트는 은행 이자와 비슷하게 보여서 「유사수신행위의 규제에 관한 법률[35]」 위반이 문제될 수도 있다[36].

전자금융업자의 포인트 등의 포함한 해택제공에 관해서는 3개의 유권해석이 있다. 2016. 7. 28. 금융위원회는 '충전한 유상 포인트에 대하여 보유기간에 따라 이자를 지급하는 것이 가능한지'에 대한 질의에서 "「전자금융거래법」은 선불전자지급수단을 발행 및 관리하는 전자금융업자가 이용자에게 유상으로 충전한 선불전자지급수단의 보유기간에 따라 이자를 지급하는 것을 금지하고 있지 않으며, 이를 위하여 별도의 전자금융업 등록 등이 필요하지도 않다"라고 유권해

---

35) 「유사수신행위의 규제에 관한 법률」 제2조(정의)
   이 법에서 "유사수신행위"란 다른 법령에 따른 인가 · 허가를 받지 아니하거나 등록 · 신고 등을 하지 아니하고 불특정 다수인으로부터 자금을 조달하는 것을 업(業)으로 하는 행위로서 다음 각 호의 어느 하나에 해당하는 행위를 말한다.
   1. 장래에 출자금의 전액 또는 이를 초과하는 금액을 지급할 것을 약정하고 출자금을 받는 행위
   2. 장래에 원금의 전액 또는 이를 초과하는 금액을 지급할 것을 약정하고 예금 · 적금 · 부금 · 예탁금 등의 명목으로 금전을 받는 행위
   3. 장래에 발행가액 또는 매출가액 이상으로 재매입할 것을 약정하고 사채를 발행하거나 매출하는 행위
   4. 장래의 경제적 손실을 금전이나 유가증권으로 보전하여 줄 것을 약정하고 회비 등의 명목으로 금전을 받는 행위
36) 예자선, 위의 책, 제148족

석을 내렸고[37], 2019. 10. 30. 금융위원회는 '고객이 간편결제로 일정 금액 이상을 결제하는 경우 결제에 따른 혜택으로 선불전자지급수단 포인트를 지급하는 것이 유사수신에 해당하는지'에 대한 질의에 대해, "(질의 내용의 사실 관계만으로는 법 적용 요건을 상세히 알 수 없어 확정적으로 답변을 드릴 수는 없으나) 전자금융거래법에 따라 등록한 선불전자지급업의 일환으로 선불전자지급수단을 통한 결제혜택으로 선불전자 지급 추가포인트를 제공하는 행위는 전자금융거래법상 저촉되지 않는 행위로 유사 수신행위에 해당될 가능성이 낮다"는 유권해석을 내렸다. 이에 반하여 2018. 12. 26.에는 '간편결제업체(전자금융업자)가 서비스 이용고객의 선불충전 자금을 수납받아 적금 운용 후 고객에게 추가 포인트 적립/할인쿠폰 등이 부가서비스를 제공하는 것이 유사수신행위에 해당하는지 여부'에 대한 질의에서, "대상회사는 다른 법령에 따른 인·허가를 받지 아니하거나 등록·신고 등을 하지 아니하고 불특정 다수의 고객들로부터 자금을 수납받아 간편결제 서비스 외에 소위 '저금통'이라는 적금과 유사한 상품을 제공함으로써 고객으로부터 받은 자금을 운용 이후 본인포인트 적립분 이외에 추가 포인트 적립분을 제공할 것을 약속하고 있는바, 이는 유사수신행위에 해당한다고 볼 여지가 있다"라고 유권해석하고 있다.

유권해석에 불과하고 아직 이것이 형사사건화 되어 판례로 형성

---

37) 금융규제민원포털 홈페이지
   (https://better.fsc.go.kr/user/extra/fsc/123/fsc__lawreq/view/jsp/LayOutPage.do?lawreqIdx=1127)

된 사례는 없어서 조심스럽기는 하나, 유권해석들을 종합해 볼 때 포인트 지급을 충전 시점에 지급하거나 서비스 이용을 조건으로 지급하는 경우 또는 선불금 및 포인트를 별개의 사업계좌 등으로 옮겨 사용하지 아니하고 현금성 자산으로 유지하면서 결제 등에 바로 사용하게 하는 경우에는 「유사수신행위 규제에 관한 법률」 위반이나 「은행법」 위반의 문제는 크게 발생하지 않을 것으로 예상된다.

06
공유자동차서비스와
여객운송사업법

⚙ 한국에서의 우버(Uber) 실패사례

외국을 여행해 본 사람들이라면 '우버(Uber)'에 익숙할 것이다. 우버는 2011. 6. 미국 샌프란시스코에서 시작되었으며, 2013. 8. 싱가포르에 이어 아시아에서 두 번째로 한국에서 서비스를 시작하였다.

한국에서 우버는 자신들의 여러 사업 중에서 '우버블랙' 사업을 먼저 시작하였으나 아래에서 설명하는 바와 같이 「여객자동차 운수사업법」 제34조 위반에 따른 위법성 논란으로 2015. 3. 운행을 중단하였고, '우버X' 서비스를 새롭게 출시하려던 계획도 「여객자동차 운수사업법」 제81조, 제83조에 위배된다는 판단 하에 출시를 중단하게 되었다. 서울시는 우버의 영업이 위와 같은 현행법 위반이라는 이유를 들어 검찰과 경찰에 수사를 의뢰하였고, 우버 운전자에 대한 불법신고 포상금 제도를 실시하기도 하였다.

이와 같은 서울시의 조치는 우버와 경쟁관계에 있는 택시회사들의 반발에 기인한 것으로 당시 서울시가 우버의 문제점을 지적한 내용은 「여객자동차 운수사업법」 등 현행법 위반 외에도 ① 정식 면허를 가진 택시가 아닌 렌터카나 자가용을 연결해 교통사고가 날 경우, 때에 따라서는 보험을 적용받지 못할 수도 있고, ② 운전사와 차량관리에 허점이 있을 수도 있으며, ③ 운전사의 범죄 이력 등을 알 수 없고, 회사가 어떻게 차량 관리를 하는지 교통당국이 확인하기 어렵다는 점 등이었다.

우리나라에서 우버의 운행이 불법으로 간주되는 이유는 아래와 같은 「여객자동차 운수사업법」 규정들 때문이다.

제34조(유상운송의 금지 등)

① 자동차대여사업자의 사업용 자동차를 임차한 자는 그 자동차를 유상 (有償)으로 운송에 사용하거나 다시 남에게 대여하여서는 아니되며, 누구든지 이를 알선(斡旋)하여서는 아니 된다.

제81조(자가용 자동차의 유상운송 금지)

① 사업용 자동차가 아닌 자동차(이하 "자가용자동차"라 한다)를 유상 (자동차 운행에 필요한 경비를 포함한다. 이하 이 조에서 같다)으로 운송용으로 제공하거나 임대하여서는 아니되며, 누구든지 이를 알선하여 서는 아니 된다. 다만, 다음 각 호의 어느 하나에 해당하는 경우에는 유상으로 운송용으로 제공 또는 임대하거나 이를 알선할 수 있다.

  1. 출퇴근 때 승용자동차를 함께 타는 경우

  2. 천재지변, 긴급 수송, 교육 목적을 위한 운행, 그 밖에 국토교통부령 으로 정하는 사유에 해당되는 경우로서 특별자치시장·특별자치도 지사·시장·군수·구청장(자치구의 구청장을 말한다. 이하 같다)의 허가를 받은 경우

제83조(자가용자동차 사용의 제한 또는 금지)

① 특별자치시장·특별자치도지사·시장·군수 또는 구청장은 자가용자 동차를 사용하는 자가 다음 각 호의 어느 하나에 해당하면 6개월 이내의 기간을 정하여 그 자동차의 사용을 제한하거나 금지할 수 있다.

  1. 자가용자동차를 사용하여 여객자동차운송사업을 경영한 경우

  2. 제81조 제1항 제2호에 따른 허가를 받지 아니하고 자가용자동차를 유상으로 운송에 사용하거나 임대한 경우

제90조(벌칙)

다음 각 호의 어느 하나에 해당하는 자는 2년 이하의 징역 또는 2천만 원 이하의 벌금에 처한다.

> 6의2. 제34조 제1항을 위반하여 임차한 자동차를 유상 운송에 사용하거나 다시 남에게 대여한 자 또는 이를 알선한 자
>
> 8. 제81조를 위반하여 자가용자동차를 유상으로 운송용으로 제공 또는 임대하거나 이를 알선한 자

앞서 말한 '우버블랙'은 스마트폰 앱을 통하여 고급 세단을 이용할 수 있는 프리미엄 택시 서비스라고 할 수 있는데, 이와 같은 '우버블랙'의 운행은 렌트카 사업자 또는 리무진 사업자와의 협력을 통해 이루어져 왔는데, 이는 「여객자동차 운수사업법」 제34조 위반에 해당한다. 그리고 우버의 가장 일반적인 서비스라고 할 수 있는 '우버X'는 굳이 개인택시면허를 가지거나 또는 법인택시에 고용된 택시 운전자가 아니더라도 자신의 자가용자동차를 이용하여 유상운송을 하는 것으로 이는 「여객자동차 운수사업법」 제81조, 제83조에 위배된다.

⚙ 카카오택시, T맵 택시

이와 같은 우버의 국내진출과 관련한 법규위반 논란 이후 우리에게 새로운 서비스들로 다가온 '카카오택시', 'T맵 택시', '카카오T 카풀', '타다' 등은 현행 법률과 어떤 관계가 있는지 의문이 생길 것이다.

먼저 '카카오택시'나 'T맵 택시'는 고객과 택시 운전사를 핸드폰 앱을 통해 연결해 주는 서비스로서 택시 운전사를 보다 쉽게 부를 수 있는 플랫폼에 불과하기 때문에 위에서와 같은 택시 업계와의 마찰이 심각하지 않았고, 「여객자동차 운수사업법」 위반의 문제도 발생할 여지가 없었다. 쉽게 설명하자면 과거 콜택시를 소개해 주던 소개회사의 일종이며, 과거 전화를 통한 콜택시 방식에서 핸드폰 앱을 통한 방식으로 변경된 것에 불과하다고 보면 된다. '카카오블랙'의 경우에도 일반적인 택시의 모습이 아닌 검은색 고급 세단 형태이기 때문에 혼동이 될 수도 있으나 이들 차량 또한 택시 회사 소유의 차량을 고용된 택시 기사들이 운행하는 것이기 때문에 '우버블랙'과는 근본적인 차이가 있다.

◎ '타다' 논란의 중심에 서다

공유차량 서비스와 관련하여 단연 뜨거운 논란의 대상은 '타다'일 것이다. 어느날 갑자기 차량 옆면에 검은색 글자를 크게 써 붙이고 다니는 흰색 카니발 차량들이 많이 등장하여 많은 사람들의 호기심을 자극하였고, 인기몰이를 하면서 '파파'라는 또 다른 후발주자까지 시장에 등장시켰는데 한순간에 모두 사라져 버렸다. 도대체 '타다'에게는 무슨 일이 있었던 것일까?

'타다'는 공유자동차서비스를 제공하는 쏘카의 자회사인 VCNC가 운영하는 플랫폼으로, 차량을 빌려주면서 기사까지 같이 배차하는 '렌터카' 서비스를 제공하는 것으로 과거의 '우버블랙'과 유사한 서비스를 제공하였다. 그럼에도 불구하고 '우버블랙'과 달리 명백한 법 위반이라고 보기 어려워 꽤나 오랫동안 영업활동을 영위할 수 있었던 것은 아래와 같은 「여객자동차 운수사업법」상의 예외규정 때문이었다.

「여객자동차 운수사업법」

제34조(유상운송의 금지 등)

① 자동차대여사업자의 사업용 자동차를 임차한 자는 그 자동차를 유상(有償)으로 운송에 사용하거나 다시 남에게 대여하여서는 아니 되며, 누구든지 이를 알선(斡旋)하여서는 아니 된다. 〈개정 2015. 6. 22.〉

② 누구든지 자동차대여사업자의 사업용 자동차를 임차한 자에게 운전자를 알선하여서는 아니 된다. <u>다만, 외국인이나 장애인 등 대통령령으로 정하는 경우에는 운전자를 알선할 수 있다.</u>

「여객자동차 운수사업법 시행령」

제18조(운전자 알선 허용 범위)

법 제34조 제2항 단서에서 "외국인이나 장애인 등 대통령령으로 정하는 경우"란 다음 각 호의 경우를 말한다.

1. 자동차대여사업자가 다음 각 목의 어느 하나에 해당하는 자동차 임차인에게 운전자를 알선하는 경우

   가. 외국인

   나. 「장애인복지법」 제32조에 따라 등록된 장애인

   다. 65세 이상인 사람

   라. 국가 또는 지방자치단체

   마. 자동차를 6개월 이상 장기간 임차하는 법인

   바. <u>승차정원 11인승 이상 15인승 이하인 승합자동차를 임차하는 사람</u>

   사. 본인의 결혼식 및 그 부대행사에 이용하는 경우로서 본인이 직접 승차할 목적으로 배기량 3,000시시 이상인 승용자동차를 임차하는 사람

「여객자동차 운수사업법」 제34조 제2항, 같은법 시행령 제18조 제1호 바항에 따라 11~15인승 사이의 승합자동차를 이용한 사실상 택시영업이 가능한 것이다. 카니발의 경우 9인승도 있으나 위 규정에 따라 9인승을 이용한 택시영업은 불가능하며, 11인승만을 이용한 택시영업만이 가능한 것이다.

필자는 지난 개정판에서도 밝힌 바와 같이 '타다'는 위와 같은 「여객자동차 운수사업법」의 빈틈을 잘 파고 들어간 것으로 법적으로 전혀 문제가 없다고 생각하였고, 그 생각은 현재도 변함이 없다. 2020. 2. 19. 1심 법원에서도 「여객자동차 운수사업법」 위반 혐의로 기소된 이재웅 쏘카 대표와 박재욱 VCNC 대표에게 무죄를 선고하였다.

이 판결로 한숨 돌리는 듯했던 승차공유 업체들은 바로 직격탄을 맞았으니, 위 판결이 있은지 약 한 달 뒤인 2020. 3. 6. 소위 '타다 금지법'이라고 불리는 「여객자동차 운수사업법」 개정안이 통과된 것이다. 즉 과거 시행령에 위임하고 있던 예외 규정을 상위법인 법률로 가져오면서 '타다' 영업 규정의 핵심이라고 할 수 있는 '승차정원 11인승 이상 15인승 이하 승합자동차 임차'에 대해 '대여시간이 6시간 이상이거나, 대여 또는 반납장소가 공항 또는 항만인 경우'로 제한해 버린 것이다.

과거 법률	개정법률
제34조(유상운송의 금지 등) ① (생략)	제34조(유상운송의 금지 등) ① (현행과 같음)

과거 법률	개정법률
② 누구든지 자동차대여사업자의 사업용 자동차를 임차한 자에게 운전자를 알선하여서는 아니된다. 다만, 외국인이나 장애인 등 대통령령으로 정하는 경우에는 운전자를 알선할 수 있다. 〈신 설〉	② ---. ----다음 각 호의 어느 하나에 해당하는 --. 1. 자동차대여사업자가 다음 각 목의 어느 하나에 해당하는 자동차 임차인에게 운전자를 알선하는 경우 가. 외국인 나. 「장애인복지법」 제32조에 따라 등록된 장애인 다. 65세 이상인 사람 라. 국가 또는 지방자치단체 마. 자동차를 6개월 이상 장기간 임차하는 법인 바. 관광을 목적으로 승차정원 11인승 이상 15인승 이하인 승합자동차를 임차하는 사람. 이 경우 대여시간이 6시간 이상이거나, 대여 또는 반납 장소가 공항 또는 항만인 경우로 한정한다. 사. 본인의 결혼식 및 그 부대행사에 이용하는 경우로서 본인이 직접 승차할 목적으로 배기량 3천시시 이상인 승용차동차를 임차하는 사람

이와 같은 법 개정으로 한순간에 합법의 근거를 상실한 '타다'는 필요가 없게 된 카니발 차량 중 일부는 일반인들에게 매각하고 일부는 모회사인 '쏘카'의 차량공유서비스에 활용하고 있다. '쏘카' 주차장에 갑자기 흰색 카니발 차량이 많이 보이게 된 이유이다. '타다' 서비스는 현재는 위 개정 법에 맞게 골프장 이용이나 공항 이용에 한정하여 서비스를 제공하고 있다. 과거 '쏘카'를 애용하였던 필자로서는 안타까운 일이 아닐 수 없다.

⚙ 카카오T 카풀

이에 반하여 '카카오T 카풀'의 경우 또 다른 예외규정을 적용한 사례이다. 즉, 「여객자동차 운수사업법」에서 출퇴근 시간의 경우에 한하여 일반 차량의 택시 운행이 가능하도록 예외를 둔 조항을 활용하였으며, 해당 규정은 아래와 같다.

「여객자동차 운수사업법」

제81조(자가용 자동차의 유상운송 금지)

① 사업용 자동차가 아닌 자동차(이하 "자가용자동차"라 한다)를 유상(자
동차 운행에 필요한 경비를 포함한다. 이하 이 조에서 같다)으로 운송용
으로 제공하거나 임대하여서는 아니 되며, 누구든지 이를 알선하여서는
아니 된다. 다만, 다음 각 호의 어느 하나에 해당하는 경우에는 유상으
로 운송용으로 제공 또는 임대하거나 이를 알선할 수 있다.

1. 출퇴근 때 승용자동차를 함께 타는 경우

즉, '타다'처럼 11인승 승합자동차가 아니더라도 출퇴근 때 승용차를 이용하여 택시영업을 하는 것이 가능하다. 그런데 문제는 '출퇴근 시간'에 대한 세부 규정이 전혀 없기 때문에 논란이 발생하였다. 특히 최근에는 탄력시간 근로제 등 근무형태 변화로 인하여 출퇴근 시간의 개념이 불분명해졌기 때문에 이를 서비스하고자 하는 플랫폼의 입장에서는 출퇴근 시간을 최대한 확대해석하고자 할 것이다. 게다가 '카카오T 카풀'의 컨셉은 택시영업과 직접적인 경쟁관계에 있기 때문에 택시업계가 강하게 반발하면서 불법영업 논란에 휩싸였다. 결국 2019. 1. '카카오'는 '카카오T 카풀' 시범서비스를 중단하고 '카카오택시'에 집중하게 되었다.

이와 같은 '카카오T 카풀' 시범서비스 중단과는 별개로 「여객자동차 운수사업법」 제81조는 2019. 8. 27. 출퇴근의 범위를 '오전 7시부터 9시까지, 오후 6시부터 8시까지로 하고, 토요일·일요일·공휴일은 제외'되는 것으로 분명히 하는 쪽으로 개정되어 2020. 1. 1.부터 시행되고 있다. 이와 같은 법 개정으로 사업성이 현저히 줄자, 관련 서비스를 제공하던 회사들은 '카카오T 카풀'과 마찬가지로 사업을 접었다.

이와 같이 법령의 맹점이나 허점들을 노려 새로운 서비스를 제공하는 업체들의 아이디어와 노력을 볼 때 한편으로는 놀랍고, 한편으로는 안타깝다. 「여객자동차 운수사업법」상의 많은 규제들은 소비자들의 안전을 보장하기 위한 노력의 일환이기도 하지만, 한편으로는 택시업계의 기득권을 보호해 주기 위한 목적도 적지 않다. 이에 새로운 서비스를 내놓을 때마다 택시업계는 결사반대를 외치고 정부부처 관계자들도 주로 사회적 약자 계층에 속하는 택시운전자들의 고사를 걱정하는 우려를 무시하기 어렵다. 우버로 촉발된 택시업계와 새로운 차량공유 서비스 업계 간의 갈등은 우리나라에 국한된 문제는 아니며 많은 나라들이 겪고 있는 문제이기는 하며, 이에 우버가 영업을 하지 못하는 나라도 많이 있다.

우버와 같은 차량공유서비스에 소비자들이 열광하는 이유는 기존 택시업계의 문제점에서 비롯된다. 고객들은 심야시간대나 출퇴근 시간, 연말 등의 피크 시간대에 승차 거부하거나, 가끔씩 담배냄새로 절어 있는 택시를 타는 등의 불쾌한 경험들을 하면서 택시에 대한 선호도가 떨어졌으며, 특히 한국에 익숙하지 않은 외국인들에 대한 바가지 요금 청구 등의 문제도 끊이지 않고 발생하고 있다(물론 이와 같은 일들은 일부 택시운전사들의 일탈 행위일 뿐 대다수의 택시운전사들은 오늘도 열심히 자신의 일에 최선을 다하고 있다).

그에 반하여 우버 차량의 경우 자신의 차량을 이용하는 경우가 많아 차량 내부가 상대적으로 깔끔할 뿐만 아니라, 앱을 통해 호출과 동시에 사전결제가 이루어지므로 승차 거부가 발생할 일도 없다. 그리고 말이 잘 통하지 않는 외국에서도 내 위치, 목적지, 주변 차량, 이동 경로 등 각종 정보를 핸드폰을 통해 실시간으로 알려주기 때문에 특히 외국 여행객에게 많은 도움이 된다.

법을 통한 기존 산업의 보호만을 생각하다보면 그 산업을 성장시키기는커녕 경쟁력을 하락시켜 결국은 당해 산업에도 독이 될 수 있다. 당초 카카오택시 앱이 시장에 출시되었을 때에도 택시기사들이 카카오에 종속될 수 있고 결국 추가적인 수수료 부담만을 가중시킬 것이라는 우려가 있었으나, 오히려 택시기사들의 연소득이 그 이전보다 평균 1,000만 원 가량 증가하였다는 최근 보도가 있었다. 결국 수요와 공급을 IT 기술을 통해 정보를 공유함으로써 고객과 택시기사 모두 이익을 얻었을 뿐만 아니라, 이를 통해 연료비 감소와 배기가스로 인한 환경오염 감소 등의 부수적인 혜택도 얻을 수 있었다.

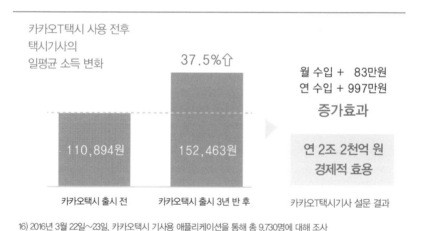

16) 2016년 3월 22일~23일, 카카오택시 기사용 애플리케이션을 통해 총 9,730명에 대해 조사
17) 2018년 9월 21일~22일, 카카오T택시 기사용 애플리케이션을 통해 총 13,783명에 대해 조사

[2018. 10. 16.자 스페셜경제 기사]

택시업계도 새로운 서비스업의 출현에 대해 무조건적인 반대만을 할 것이 아니라 소비자들이 우버를 비롯한 새로운 서비스들에 열광하는 이유를 알고, 그에 대한 개선책이나 변화를 보여주어야 할 것이다. 여객운송업의 변화는 여객운송업에 한정되는 문제가 아니라

여행산업 전반에도 영향을 줄 수 있다.

택시 이외에 마땅한 대안이 없는 상황에서 택시이용에 어려움을 겪거나 불쾌한 경험을 한 외국인들은 한국을 '다시 방문하고 싶은 나라' 리스트에서 지워버리고 말 것이기 때문이다. 필자가 싱가포르에서 '우버'를 경험하면서 이동에 대한 부담을 전혀 느끼지 않았고, 이러한 경험이 싱가포르를 다시 방문하고 싶은 주요 이유 중에 하나가 된 것처럼 말이다.

물론 위와 같은 다양한 여객운송업의 출현은 법인 택시업계에게는 중대한 위기가 될 수 있으며, 특히 개인택시 면허의 매매가가 하락하는 문제를 가져오기 때문에 다양한 이해관계가 얽힐 수밖에 없다. 그럼에도 불구하고 다양한 방식을 통해 이들 이해관계들을 조율하여 상생하는 관계를 만든 미국이나 싱가포르처럼 정부 관계자들도 이들이 상생할 수 있도록 대화를 유도하고 대안을 마련해 주려는 노력이 필요하다 할 것이다.

핀테크와는 다른 주제이지만, 필자가 많이 접하는 주요 기업들과 관련하여 2020년 말 아주 중요한 상법의 개정이 있었기에 이에 대해 간략히 소개하고자 한다.

[개정 상법 이야기
… 감사위원 분리선출 상법 개정… CEO 대비책은?]

2020. 12. 9. 국회 본회의에서 상법 개정안이 통과되었고, 2020. 12. 29.부터 개정 상법이 시행 중이다. 이에 주요 기업 CEO를 포함한 경영진은 개정법의 내용에 대해 숙지하고 준법 경영에 보다 힘을 쏟아야 할 것으로 예상된다. 새로 개정된 상법의 주요 내용은 아래 표와 같다.

○ 상법

구 분	개정 내용
감사위원 분리선출	• 감사위원 중 최소 1명을 이사와 분리 선출
	• 사내이사인 감사위원 선임·해임 시 최대주주와 특수관계인 지분합산 의결권 최대 3%로 제한
	• 사외이사인 감사위원 선임·해임 시 최대주주와 특수관계인 의결권 각 3%로 제한
다중 대표소송제 도입	• 모회사 주주가 자회사 이사 상대로 대표소송 제기 가능
	• 원고 적격 : 상장회사는 지분율 0.5% 이상 6개월 이상 보유 주주, 비상장회사는 지분율 1% 이상 보유 주주
전자투표제 인센티브 도입	• 전자투표로 감사·감사위원 선임 시 발행주식총수 1/4 이상 결의요건 적용 ×
	• 출석 주주 의결권 과반수만으로 통과 가능

다중 대표소송제 도입으로 모회사 주주는 자회사뿐만 아니라 손자회사의 이사를 상대로도 대표소송을 제기하는 것이 가능해지면서, 이사의 회사 운영에 대한 잘못을 묻는 소송이 증가될 가능성이 높아졌다. 하지만 아직까지 국내에서 대표소송 사례 자체가 많지 않은바, 다중 대표소송제 도입으로 소송 사례가 많아질 지에 대해서는 그 추이를 좀 더 지켜봐야 할 것 같다.

이보다 기업들의 입장에서는 감사위원 분리선출 문제가 보다 심각하고 급박한 문제로 보인다. 당장 내년부터 임기 만료 등을 이유로 감사위원을 새로 선임하여야 하는 회사는 감사위원 중 최소 1명 이상을 이사와 분리하여 선출하여야 하기 때문이다. 과거에도 최대주주 등이 감사위원을 선임할 때 3% 이상 의결권을 행사하지 못하도록 하는 소위 '3%룰'이 있었음에도 이번 상법 개정이 특히 논란이 되는 이유는 다음과 같다. 기존에는 '① 주주총회에서 이사를 먼저 선임 → ② 위 이사 중에서 감사위원을 결정'하는 2단계 구조였고, 이에 ② 단계에서 '3%룰'이 적용된다 하더라도 그 전 ① 단계인 이사 선임 단계에서 이미 다수결로 최대주주 등이 원하는 이사들로 결정되었기 때문에 그 중 누가 감사위원이 되는지는 크게 관심의 대상이 되지 못하였다. 하지만, 이번 개정에서는 위와 같은 2단계 구조로 뽑는 감사위원과는 별개로 최대주주의 의결권을 '3%'로 제한한 투표를 통해 '이사이자 감사위원' 1명을 뽑는 1단계 구조를 도입함으로써, 위 감사위원 1인은 최대주주 등이 원하지 않는 사람으로 결정이 될 확률이 높아진 것이다. 물론 감사위원회는 3인 이상으로 구성되어야 하기 때문에, 위와 같이 최대주주 등이 원하지 않는 감사위원 1명이 있다고 하여 감사위원회의 의사가 위 1인의 감사위원에 의해 좌우되지는 않겠지만, 나머지 감사위원들도 감사업무와 관련해서 긴장하지 않을 수 없을 것이므로 회사에 대한 감사위원회의 감사활동이 강화될 가능성이 매우 높다. 게다가 감사위원회는 상법상 회사의 비용으로 외부 전문가의 도움을 받아 감사 활동을 할 수 있기에, 감사 활동 및 회사 경영진의 대응 관련한 용역 의뢰는 증가할 것으로 예상된다. 필자가 속한 로펌에도 이미 '형식적인 감사기구가 아니라 기업 운영의 투명성 확보를 위한 내부감시 및 자율감시자의 역할을 자처하는 감사위원회'와 '감사위원회의 위와 같은 요구에 대해 업무 수행의 공정성 및 진실성을 보여주고자 하는 경영진'의 자문 요청이 이어지고 있다.

상법상 감사위원회 설치가 의무인 회사는 '자산총액 2조 원' 이상인 회사이며, 자산총액 1천억 원 이상 2조 원 미만인 회사는 상근감사를 둘 수도 있고, 감사위원회를 설치할 수도 있다. 하지만 회사들은 앞서 설명한 2단계 구조에 따른 이점으로 인해 상근감사 대신 감사위원회를 설치한 경우도 많았다. 이에 이번 상법 개정과 관련하여 많은 회사들이 궁금해 한 내용 중 하나는 「감사위원회 설치 의무가 없음에도 불구하고 감사위원회를 설치한 자산총액 1천억 원 이상 2조 원 미만인 회사들에 대해서도 위 감사위원 분리선출제도를 적용하는 것인지 여부」였다. 이에 대해서 법무부는 "이 경우에도 감사위원 분리선출제도를 적용한다"는 유권해석을 내렸다.

그 외에도 기존 3%룰과 섀도 보팅(shadow voting) 폐지가 맞물리면서 감사 및 감사위원을 선출하는 것이 너무 어렵다는 업계의 입장을 반영하여, 전자투표 도입 시 발행주식총수 1/4 이상 찬성이라는 결의요건을 없애고 '출석 주주 과반수 찬성'만으로 감사 및 감사위원 선출이 가능해졌다.

우리나라 기업의 주가가 비슷한 수준의 외국기업의 주가에 비하여 낮게 형성되는 현상을 의미하는 '코리아 디스카운트'는 우리 기업들이 기업 공시 등을 통하여 제공하는 자료의 신뢰도가 미국 등 주요 선진국들에 비하여 낮다는 점에 기인하며, 내부 감시 활동이 충분하지 못하다는 점은 위와 같은 낮은 신뢰도의 한 원인이다. '동학개미', '서학개미' 등의 활약에 힘입어 우리 주식시장은 역대 최고치로 2020년을 마감하였고, 부동산보다는 주식시장에 돈이 몰려야 경제가 선순환할 수 있다는 경제인식도 분명해지고 있다. 이와 같은 순풍에 돛을 달기 위해서는 기업도 변해야 한다. 이미 개정되어 시행되고 있는 상법에 대해 계속된 불만만을 제기할 것이 아니라, 이번 상법 개정이 자신들의 기업 가치를 제대로 평가 받을 수 있는 새로운 기회라고 생각하고, 지배구조의 투명성을 보다 강화하고 준법경영 의지를 보여준다면 투자자들 또한 이에 즉각적으로 반응할 것이다. 필자도 위와 같은 기업 지배구조 개선 및 준법경영 관련 업무를 성실히 수행함으로써, 기업들을 뒤에서 미는 조력자의 역할에 최선을 다할 것임을 다시 한 번 다짐한다. 2021년에는 우리 기업들이 코로나의 충격에서 벗어나 새롭게 도약하는 한 해가 되기를 바란다.

프로필 _____

김도형 변호사

　저자는 2002년 제44회 사법시험에 합격, 사법연수원을 34기로 수료하였다. 현재 메이저 로펌인 법무법인(유한) 바른의 금융그룹장을 맡고 있으며 증권, 금융, 자본시장, 보험 관련 업무를 주로 수행하고 있다. 주요 소송사건으로는 '신한은행 사태', 'KIKO 소송', '중국고섬 상장폐지와 관련한 손해배상소송', '대우조선해양 분식회계 관련 손해배상소송', '중국국저에너지화학공단(CERCG) 관련 1,600억 원대 손해배상소송', '경남마산로봇랜드 1,000억 원대 정산금 소송', '카드사 정보유출사태 관련 행정소송', '한국거래소의 G회사에 대한 상장폐지 가처분 소송', 'STX조선 워크아웃 과정에서의 채권은행 간 정산금 소송' 등이 있다. 한국증권금융, 하나은행, 중소기업은행, 하나SK카드, KTB PE, 메리츠증권, 이베스트증권, 삼성화재, 하나생명보험 등 다양한 금융회사의 자문업무를 수행하고 있으며, P2P 업체들에 대한 자문도 진행 중이다. 고려대학교 법학전문대학원에서 '금융법 실무' 과목으로 로스쿨 학생들을 지도, 서울지방변호사회 증권금융연수원에서 변호사들을 상대로 강의를 진행하였으며, 한국증권법학회 이사로서 학술활동에 참여하는 등 학문적 연구도 게을리하지 않고 있다.